日本解体論

白井　聡
望月衣塑子

朝日新聞出版

まえがき

望月衣塑子

ロシアによるウクライナ侵攻が長期化している。南東部支配をもくろむロシアと、侵攻前の状況に押し戻したいウクライナの隔たりは大きく、停戦合意は容易ではない。侵攻を正当化するプーチン大統領の理屈は到底、国際社会に受け入れられるものではない。だが、長引くほどウクライナ市民の負担は増していく。死者や孤児、難民も日々、増え続ける。最も懸念されるのは、この悲惨な状況に対し、私たちが徐々に鈍感になってしまうことだ。そもそも何が問題の本質なのか見えなくなってしまう。

ウクライナ情勢は日本国内にも暗い影を落とす。自民や維新の国会議員らは「9条に自衛隊を明記せよ」「緊急事態条項の創設を」と勇ましい。平然と「核共有論」を唱える首長や元首相もいる。その影響は国民全体にも広がっている。憲法記念日を前に実施された朝日新聞の世論調査（2022年3～4月）によると、憲法改正が「必要」と答えた人は56％にのぼり、過去10年で最も多いという。

ここで防衛費を大幅に増やしても、米国以外の国際社会からの理解は得られず、潤うのは米国の軍需産業だ。核共有など論外で、日本が標的にされるリスクを高めるだけだ。そもそも米国は日本の核使用を認めない。それはウクライナ情勢における米国の行動をみれば明らかだ。その本質を見ないまま、防衛力の増強を声高に唱える政治家こそ「平和ボケ」だ。

今回初めて対談させてもらった白井聡さんは、これまで『永続敗戦論――戦後日本の核心』(太田出版、2013年)、『国体論――菊と星条旗』(集英社新書、2018年)、『主権者のいない国』(講談社、2021年)など、数々の著作を通じ、対米従属に慣れきった日本社会や政治の状況を厳しく論評してきた。明治以来の「国体」における天皇の役割が、戦後は「米国」に置き換わり、形の上での「独立国家」「民主主義国家」の日本がつくられてきたと指摘する。戦後、日本は経済最優先を掲げて発展を遂げた一方、米国支配の構図がみえにくくなった。しかし、2011年の福島原発の事故により、原発推進の背後には民主主義でなく「国家主義」があったことが露呈した、と白井さんは指摘する。

だからこそ、私たちは「戦後の幻影」を直視しなければいけない。「失われた30年」の中で、日本の産業力も研究力も低下し、一人当たりGDPは世界30位にまで落ち込んだ。経済のグローバル化の中で新自由主義が進む一方、非正規雇用は4割を超え、うち7割は女性だ。子どもの貧困も7人に1人にのぼる。少子化は歯止めがかからない。目先の利益ばかりに追われ、政治家も官僚も国民も、長期的なビジョンを持ち合わせなかったのではないか。ゆでガエルのように、ゆっくり進む構造的な問題に、鈍感なままで過ごしてきたのではないか。もちろん、私たちメディアも例外ではない。報道に携わる私もまた、権力と対峙すべきジャーナリズムの役割を果たせてきたのかと自問した。

2022年夏の参院選後は野党再編が加速するかもしれない。一方、宏池会出身の岸田文雄首相は国論を二分する憲法改正や、消費税増税に踏み切る可能性が指摘されている。なにせ、次の衆院選まで「黄金の3年間」は続くのだ。怖いものなしだ。では一体、どうすればいいのか。白井さんの答えは「落ちるところまで落ちるしかない」と簡潔だ。大切なのはそこから私たちが何に気づき、何を学ぶかなのだろう。

対談で感じたことは、野党やメディアはつねに徹底した政権・権力批判が必要ということだ。政府への「提案」や「補完」にとどまるようでは、野党やメディアの存在価値はない。そして、学者も権力者のいいなりになってはならない。いずれも職業上、徹底的な分析と批判が不可欠だ。それに全力で努めることこそ存在の証明になる。裏を返せば、権力に迎合している、と疑われた瞬間に市民からの信頼は失われる。日本の社会にとっても最も不幸であり、罪作りだ。

本書では、第1章で戦前・戦後の二つの国体、失われた30年と主権の喪失、「平和と繁栄」という幻影について、第2章では、日本全体を覆う「政治的無知」がもたらす脅威について、

第3章では、批判する力を失っているメディアと学問について、第4章では、権力とメディアの関係性について、第5章では、劣化する日本社会をテーマに、東京五輪で露呈した日本の人権意識や、政治家と官僚の関係、外国人労働者を「排斥」する日本の矛盾について、第6章では、白井さんが学生時代に留学したロシアと、ウクライナ侵攻について、それぞれ議論を重ねた。本書を通じて、「徹底した批判者たれ」と語る白井さんと私の問題意識を知っていただき、日本の子どもたちの明るい未来を考えるきっかけにしてもらえたら、何よりもうれしい。

日本解体論　目次

まえがき　3

第1章　77年目の分岐点

第2章　「政治的無知」がもたらす惨状

第3章　壊れていくメディアと学問

第4章　癒着するメディアと権力

第5章　劣化する日本社会

第6章　国家による侵攻の衝撃

構成　高橋和彦
写真　戸嶋日菜乃（朝日新聞出版写真映像部）

第1章
77年目の分岐点

戦前・戦後の二つの国体

白井　２０２２年は日本の近現代史全体から見ると、大変な節目の年です。１８６８年の明治維新から日本の近代が始まったと考えれば、１９４５年の敗戦までが77年。そして、２０２２年はその敗戦から77年。つまり、戦前と戦後の時間の長さが等しくなったわけです。来年からは、もう戦後のほうが長くなる。実は２０２２年はそういう分岐点となる年なんですね。

私は、特に『永続敗戦論――戦後日本の核心』以降、「日本の近現代史は国体の歴史である」と繰り返し論じています。『国体論――菊と星条旗』では「国体」が2度にわたって形成され、ある側面では、国体に乗っかった形に基づいてこの国の発展が起こった。しかし、それがうまくいかなくなり、軌道修正しなければいけないのに軌道修正ができなくて、破滅を迎える。そういうことが2度繰り返される。こう考えると、日本の近現代史が大変よく見えてくるといったことを詳しく書きました。要するに、戦前と戦後の歴史には反復性がある、同じようなパターンが繰り返されるということです。

望月　戦前の国体は天皇、戦後の国体はアメリカ。白井さんが深く考察している日本の政治の大前提にある枠組みですね。それが形成と崩壊を繰り返していると……。

白井　具体的にどういうことか。戦前、まず明治時代に、まさに国体、すなわち近代天皇制国家というシステムが、いろいろ紆余曲折はありながら形作られていく。同時に、非常に急速な発展を遂げていきます。ほんの少し前まで封建社会だったものが日清戦争、日露戦争という二つの対外戦争を経て、一挙に一等国になる。当時の一等国とは、つまりは帝国主義国家で、その地位にまで日本はのし上がりました。

天皇のもとに、日本人は一致団結して頑張ろうということで明治時代は急速に発展した。そして「頑張ったんだからちょっと一休みしたいよね」と、次の大正は社会的統制が少し緩む時代になります。大正デモクラシーと言われるように、自由主義、民主主義というものが時代の傾向として強くなる。ある意味、天皇制支配がいったん緩むんですね。それで自由主義、民主主義の根付いた国になれればよかったけれども、結局、そうなれなかった。

昭和の時代には、国内的にも対外的にもさまざまな矛盾を深めていってしまい、それへの対処が結局のところファシズム、超国家主義的、全体主義的な体制になります。つまりは極端な軍国主義に傾斜して、破滅的な戦争、泥沼の戦争へと踏み込んでいき、そして敗戦を迎え、破滅をする。それが戦前の国体の歩みだったわけです。

では、戦後はどうなのか。明治時代に相当するのが敗戦から1970年代初頭まででしょう。戦後の民主化改革によって、国体は天皇制ファシズムの温床であるということで、いわば廃止をされることになります。だから国体という言葉は死語になる。けれども「実は戦前の天皇制的な権力構造や社会構造は温存されたのではないか」という見方、これはもちろん私の発明した考えではなく、ずっと言われてきたことですが、あらためて重要な視点です。

大事なのは天皇制が象徴天皇制として生き延びたということではありません。単に天皇、皇族がいるというのは二次的な問題であって、問題の本丸は権力や社会の構造的特徴なんですね。それはしっかり生き延びた。もちろん、戦前そのままのものがキャリーオーバーしたわけではありません。すなわち「国体の頂点がアメリカへといつの間にか、すり替わるようなかたちで生き延びていった」というのが私の見立てなのです。

戦前の国体は、言うまでもなく天皇が頂点にいて、天皇中心だった。けれども戦後は、アメリカを頂点とする、アメリカ中心の国体になるわけです。戦後の日本は最初、GHQ（連合国軍最高司令官総司令部）の占領下で再出発しました。完全に可視化されたかたちでアメリカが頂点にいたわけです。

明治時代は、国の在り方をめぐってさまざまな激しい争いがあって、士族の反乱だったり自由民権運動だったりというかたちで政治的に非常に動揺していました。それと同じく、戦後の初期は非常に政治的動揺が強かった。占領期以降も60年安保のような形で激しく動揺していました。しかし、そういう動揺がありながら、結局のところ、日米の支配層はその動揺を乗り切って「対米従属体制」を確立していくわけです。これはアメリカからすれば、うまいこと日本を属国化していったということです。

その背景にはいわゆる冷戦、東西対立があって、その中で、アメリカにとって日本はアジアで最も重要なパートナーということになった。「だから優遇してあげるよ」と。しかも一方で、日本にとって大変都合がよいことには、「おまえは俺の一の子分として勇敢に戦ってこい」ということにはならずに済んだわけです。東アジアにおける東西対立は朝鮮戦争、台湾海峡危機、ベトナム戦争という形で火を吹いたり緊迫したりしました。ただし、いずれも日本は、直接参戦を命じられることはなく、直接の当事者たることを免れた。しかも「戦争の放棄」をうたったアメリカ製の戦後憲法があるから、これをうまく盾(たて)として利用して、いわゆる吉田ドクトリン、軽武装・経済最優先でやっていくことができました。

その結果として日本経済は大発展を遂げます。1945年に焼け野原から出発して、70年頃には高度成長を経て経済大国にまでなった。だからあの敗戦にもかかわらず、いわゆる一等国、今日の言葉で言えば先進国ですが、戦前と同じような、あるいはそれ以上の地位を敗戦から25年ほどで、かなり速やかに取り戻すことになったわけです。

そのような急激な発展の時代の次の時代は、1970年代から90年頃まで。つまりは高度成長後から東西対立構造が崩壊するまで、ということです。その間は大正デモクラシーの時代に似た状況になる。どういうことかと言うと、国体の支配構造が見えなくなるんですね。

大正時代には天皇制がちょっと緩んで、見えにくくなった。吉野作造の民本主義や憲法学の天皇機関説は、いかにして天皇を否定せずにその存在を実質的にゼロに近づけるか、という理論だった。天皇制を見えなくすることで機能させないようにしようというものだった。そうした支配構造が不可視化された大正時代の状況と似ていて、70年代から90年頃までは、根本的にはアメリカに支配されているという構造が見えづらくなります。80年代には「ジャパン・アズ・ナンバーワン」なんて言われて、浮かれていましたよね。あの頃、それだけある意味で力を蓄えたのだから、その力を使って対米従属体制、属国的な位置づけから抜け出せたらよかった。けれども抜け出せなかったわけです。

そして東西対立が終わった90年代以降は、日米関係の基礎は根本的に変わります。アメリカは日本をいわば庇護(ひご)してあげる根本的な理由がなくなりました。だから庇護の対象から、逆に今度は収奪の対象へと位置づけが変わってきます。だから当然、日本としてもその在り方、いわば国の根本的な立ち位置を再考、再設定しなければいけない状況になった。けれども、それができずに対米従属がますます強化をされ、その理由がなくなったにもかかわらず、あるいは理由がなくなったからこそ、対米従属が自己目的化して強化されていきます。これが90年代から現在に至るまでの政治状況です。

「失われた30年」と主権の喪失

白井　90年代以降は「失われた30年」とよく言われます。この言葉はバブル崩壊後の経済的な文脈で使われますが、政治的にも、ある意味当然の帰結として完全に失われた30年になってしまった。戦前、昭和期のファシズム体制は国体の崩壊期と言えます。それと並行するのが、平成時代のほぼ全部に当たるような期間、そこに今日の令和も加わる失われた30年であって、この期間は戦後の国体の崩壊期と言えるわけです。そして国体の崩壊期であることが、いよいよもってますます明確になっているというのが現在の政治状況です。

失われた30年の間で、最もエポックメイキングな出来事は、やはり「3・11」、東日本大震災でしょう。失われた30年の始まりである平成の初期、90年代前半はまだ豊かで相対的に余裕があった。ただ、「ちょっと調子悪くなってきたよね」「困りましたな」という程度の意識はあった。だから「どうもこのままだと失われた10年になっちゃうぞ」と言い出して、2001年に小泉純一郎さんが出てきて「構造改革だ」とやり出すわけです。つまり「ここで一度我慢してぎゅっと締めれば、贅肉（ぜいにく）を削って筋肉質になれば、日本経済は復活するんだ」と。小泉政権はそういう論理の話を持ってきて非常なるブームを巻き起こします。

けれども結局、内容がなかったというか、インチキだった。それで「どうもこれではいかんではないか」ということで、09年に民主党への政権交代が起こります。民主党の鳩山由紀夫さんが首相になった。しかし、鳩山さんは沖縄の普天間基地の問題で、いわば地雷を踏むことになって失脚します。あの時、実は日本では首相といえども、米軍がらみだと基地一つも思うようにできない、日本には首相がどう考えていようが、手を突っ込むことのできない「聖域」があるということが明らかになったわけです。そういう気づきを与えてくれたという意味では、鳩山政権は本当に画期的な政権だったと思う。私自身、「おや、これはどうも深刻におかしいのかな」ということが見えてきたのはあの辺からなんですね。

そして、11年に3・11が起こります。その原発の問題も実は普天間基地の問題と同じ問いを突き付けてくる。結局、「戦後日本とは何だったのか」という、いわば根底から考え直さなければいけないような問いを、この二つの出来事は突き付けてきたわけです。

原発がいかにして推進されてきたのかという経緯を振り返り、遡って考えていくと、民主主義もクソもあったもんじゃない。そこには本当にむき出しの国家主義があって、「戦後民主主義は、やはり虚妄だった」と言わざるを得ません。一方、普天間基地の問題ではアメリカという「聖域」に行きつきます。つまりこの二つの出来事によって、主権にかかわる二つの側面が明らかにされたのだと思います。

主権には対内的な意味と対外的な意味があります。対内的な意味としては誰が主権を所有しているのか。君主なのか、一部の人々なのか、それとも国民主権というかたちで国民全体が持っているのか。国民全体が持っているのであれば、国民主権で民主主義体制であるということになります。対外的な意味での主権とは、外から一切干渉されずに自己決定できるというのが主権国家です。これは多分にフィクション的なのですが、とにかくそういう理念がある。

戦後の日本は、この二つの意味での主権というものが、どちらも実は全く成り立っていないわけです。対外的には、もちろんアメリカの属国だということになります。対内的には、言うなれば官僚主権、大企業主権でしょう。対内的にも対外的にも国民には実態として主権の一片もないのではないか。そういう政治状況に見えます。

「平和と繁栄」という幻影

白井　福島第一原発の事故のあと、あそこまで核発電に固執してきたのは結局、潜在的核武装能力を保持していくという動機があったからだということがクローズアップされました。そういうことを知ったら、戦後の民主主義に限らず、平和主義だって怪しくなります。つまり3・11以降、戦後の建前みたいなものが本当に全部ただの建前に過ぎなかったんだということを、直視せざるを得ない状況になってきた。そして、日本はそんな在り方をしているような国、社会でしかなかったということが突き付けられた。そう考えた時に、やはり戦後のイメージは悪くなるわけですよね。

長らく戦後のキーワードは「平和と繁栄」と言われてきました。それは要するに、戦前が敗戦というかたちでエンドして、そこからの再出発で非常に豊かになった。戦後は、戦前の軍国主義に至ってしまったことを反省して、平和に絶対的な価値を置いて繁栄してきたというかたちで語られてきました。「大変だったけど、いい時代だった。日本人はよく頑張ってきた」と。こうした肯定的な時代像が戦後のイメージでした。けれども、3・11で「結局は全部、虚妄だよね」と言わざるを得ない状況が突き付けられたわけです。

その意味で3・11は、本当に戦後を終わらせたんだと思います。だからその実態というものに直面しなければいけなくなったのが、ポスト3・11のこの10年間です。しかし、いまだそこから逃げ回っている、あるいは開き直ろうとしているというのが現実ですよね。

ポスト3・11の時代、12年に登場したのが安倍政権です。これが8年近くにも及ぶ驚異的な超長期政権になっていった。中身は本当にどうしようもない、何でこんなものがとしか思えない政権がずっと続いたというのは、なぜなのか。後で議論になると思いますが、メディアがだらしないというのも大きな理由でしょう。ただ、やはり「国民がそれを求めたんだ」としか言いようがない。選挙で勝ち続けてきたわけですから。

では、なぜ勝ち続けたのか。結局、平和と繁栄としての戦後は今や幻影でしかないのに、その幻影を手放したくないというメンタリティですよね。このメンタリティが安倍政権を支え続けたわけです。しかし、もうそれも限界になってきたというのが現在、戦後77年目の政治状況でしょう。

コロナ対策はぼろぼろ、東アジアでは言うなれば一人負けの状態で、いわばコロナ敗戦です。経済も、近代以降ずっと下に見てきた韓国に一人当たりGDP（国内総生産）で抜かれている。日本の社会は停滞、閉塞（へいそく）し、競争力も失っていて、次々に追い抜かれています。

なぜこんな状態になっているのか。それは国民自身の問題だということが、どんどん突き付けられているわけです。もう逃れられない状況でしょう。いくら「アベノミクスで復活した」とか「歴史戦」などと言って「自分たちの歴史観が正しいんだ」とか言ったところで、全部無駄、全部空しいという現実がどんどん突き付けられています。いよいよ現実に直面する瞬間が近づいているのだとすれば、私としては「誠に結構なこと」と思っているのですが。

望月　これからの政治を考えると、今日のような悪い状態が逆に良い状態だと……。

白井　悲惨の極みですよね。けれども、この悲惨さを直視するところからしか何も始まらないと本当に思います。もちろん、もう十分に悲惨なんです。この30年間で社会はどんどん、ずたぼろになってきています。たとえば、2016年に平成の天皇が退位の意向を発表した時、「象徴天皇は国民の統合の象徴なんだ」ということを非常に強調しました。つまり、社会がずたぼろになる中で、もう国民統合が壊れてきているということに対して、暗に警鐘を発したのではないか。私はそういうふうに、あのメッセージを読みました。

それでも「今、やばいよね」と気づかず、ここまで証拠を見せてもまだわからず、平和と繁栄の幻想にしがみついているわけです。要するに想像力がない。平たく言ってしまえば、あまりにもバカだということなんですね。だから、さらに証拠が突き付けられないといけない。そういう状況ですよね。

茶番でしかない日本の選挙

望月　属国という意味では、もう完成形に近いと思います。たとえば、22年1月に沖縄や山口などの米軍基地からコロナ感染者がすごく出ましたが、その後、21年9月以降、日本側との合意に反して兵士らの出入国時の検査を取りやめるなど、感染対策を緩和していたことが判明。地位協定の改定の話が出てもそこには踏み込まなかった。日米地位協定第9条に関する合意で、米軍人は米側が検疫を行うことになっていたが、米軍人は21年9月以降、米国出国時のPCR検査を免除され、日本入国後の行動制限期間中も基地内で自由に動いていた。なので、この問題が発覚後、日米地位協定を見直すべきだという批判がでましたが、岸田文雄首相は、見直しを否定し、「日米で意思疎通を図り、現実的に対応するのが大事だ」と話すにとどまりました。

一貫して後ろ向きの政治状況が続いています。属国に慣れきってしまった国家は、その主権を再構築できるのでしょうか。

あるいは国民主権にしても、戦後の日本はシンボリックに象徴としての天皇制が残されて、私たちには自ら主権在民を獲得したという体感がなく、民主主義のＤＮＡを持てていないわけです。そういうことが根本にあるとしたら、日本の政治は民主主義をきちんと貫徹できるのでしょうか。

「属国である、民主主義じゃない、でもそれでいいじゃないか」と、半分開き直りや諦めを持っている感じもします。だから対米従属という政治の形が、それしか日本の生きる道がないように続いてきたし、エセ保守のような安倍晋三さんもずっと支持されてきたわけですよね。メディアの問題もあるでしょうが、こういう政治状況はどうしたら変わっていくのでしょうか。

白井　残念だけれども、さらに悲惨になるほかないんじゃないかと思いますね。こういう属国状態を良しとしているメンタリティが何をもたらしてきたのか。結局、その現実を見ずして、何も変えることはできないでしょう。

属国状態に置かれているということ、つまり日米安保体制があること自体は、仕方がないというか、当然の結果だったわけです。なぜなら戦争に負けたから。日本はアメリカと正面衝突をして、こてんぱんにやられた。当然、勝った側は「おい貴様、言うこと聞くよな」ということになるし、負けた側は「すみません、聞きます」となりますよね。たとえばNATO（北大西洋条約機構）の米軍基地は、ヨーロッパの中では圧倒的にドイツとイタリアに置かれています。両国とも敗戦国です。けれどもドイツとイタリアは、日本のようにはおかしくなっていません。米軍がずっと駐留していたら必ず骨の髄まで属国根性が染みつくのかというと、そんなことはないわけです。

なぜ日本のメンタリティは特有のかたちでおかしくなっているのか。それはまさに軍隊を駐留させているアメリカを戦前の天皇のように受け入れてしまっているからでしょう。

日米安保体制があること自体は国際政治の問題です。それは、ある意味普通のことなんですね。戦後の東西対立の中で、日本がどう位置取りをしようかという時にアメリカと組むことはほとんど唯一の選択肢であった。アメリカとしては、多大の犠牲も払っていわば戦利品として日本を取ったのだから、もちろん絶対に自分の傘下に入れておきたいわけです。日本がそこから逃れるのは、あまりに困難だったと思います。それで「アメリカにくっついていたほうがいいかな」となった。それはソ連につくよりもよかったでしょう。

けれども、日米関係における対米従属の危なさは、日米安保体制が本来、国際関係の話であるはずなのに、日本のデモクラシーを支えるもの、いわば国民の精神の最も深いところを内側から掘り崩した点にあると思うんですね。

私は日本で今、天皇制をある意味一番強く批判している人間だと自負しています。なぜ天皇制はダメなのか。その理由は簡単で「人間をダメにするから」なんですね。戦前の天皇制はもちろん、かつて「無責任の体系」と政治学者の丸山眞男がネーミングしたように、それは畸形的な社会をつくり出した。戦後の「アメリカを頂点とする天皇制」も全く同じであり、そこに生きる人間をダメにするというのが私の議論です。

どういうふうにダメにするのか。戦後77年たった今の日本人を見ていると、自分の運命は自分でコントロールするんだという気概がないですよね。つまり、「自分の運命の主人は自分である」という精神、あるいはそうありたいという欲望が根本的に欠けています。「主権者である」ということの根本は、そういうことじゃないですか。そういう気概や欲望なくして、国民主権はあり得ない。それがない国で民主主義というものが成り立つはずがない。だから当然、日本の選挙は茶番にしかならず、自民党が延々と勝ち続けているのでしょう。

ただ一方で、「自分が自分の主人にならなければならない、それが民主主義の基礎なんだ」とか「民主主義を大事にしないと、とんでもないことになる」とか、それがどれくらい論理的に明瞭に意識されていたかはともかくとして、戦後のある時期までは、戦争の記憶とともに気概や自覚があったと思います。それはほとんど本能的なものでしょうが、戦後民主主義をある程度まで支えていた。つまり、戦後民主主義に内実がいくらかあったとすれば、与えていたのは戦争の悲惨な記憶だったわけです。

けれども、やはり戦争の記憶は風化していく。その当事者、本当の意味での経験者は亡くなっていきます。私たちの世代は伝承によって知っているだけじゃないですか。記憶は生ものなので、それが薄れてきて、いよいよもってどうしようもなくなってきているというのが現在の政治状況でしょうね。

「歴代最長総理」の突然の死

望月　2022年7月8日に安倍晋三元首相が、奈良県で参院選の自民党候補者の応援演説中に銃撃される衝撃的な事件が起こりました。懸命の救命措置が行われましたが、残念ながら死去しました。
私は安倍政権が14年4月に「武器輸出解禁」を閣議決定したところから、政治取材をするようになり、政治に関心を持つようになりました。「武器を海外に売らない」「海外と共同開発しない」などの武器輸出3原則をとりやめ、海外と武器を共同開発し、売るという方針を閣議決定し、武器に対するこれまでの国の姿勢を180度変えました。安倍政権の特異な点は、13年に特定秘密保護法をつくったり、14年には集団的自衛権の行使を一部容認したりと、「これは憲法違反に当たるのでは」ということも含めて、日本の国家の枠組みを大きく変える決定を数の力を使って強引に推し進めたことです。また、教科書から従軍慰安婦の「従軍」の文言が削除されたり、沖縄戦で起きた集団自決の「軍の強制」の文言が削除されたりと、歴史が書き換えられていく流れも活発になりました。

安倍さんには熱心な支持者がいる一方で、こうした急進的な動きは反発も生み、社会に分断をもたらした側面があります。22年7月の参院選では、安倍・菅政権で進めてきたアベノミクスを含め、こうした安倍政治をどう総括するか、ということも争点の一つにあったと思います。そのなかで、今回の悲劇が起こりました。暴力によって言論活動を封殺することは絶対に許されませんが、やはり事件によって選挙の争点がずれてしまったようにも感じます。

容疑者は安倍さんと旧統一教会（世界平和統一家庭連合）との関係を動機にあげています。安倍さんは21年9月12日に、世界平和統一家庭連合系の集会でビデオメッセージを送っていたことを「しんぶん赤旗」などが報じていました。全国霊感商法対策弁護士連絡会は、安倍さんがビデオメッセージを送ったことに対し、「統一教会やそのフロント組織と連携し、このようなイベントに協力、賛助することは決して得策ではありません。是非とも今回のような行動を繰り返されることのないよう、安倍先生の名誉のためにも慎重にお考えいただきますよう強く申し入れます」と、公開抗議文を送っていたことも判明しました。今後、事件の全容が、きちんと明らかにされることが求められます。

白井　首相経験者が襲撃される突然の事件には、私も非常に驚愕しました。首相を辞任した後も、安倍さんの政治的影響力は続いていましたし、それがこうした形で終わりを迎えることになってしまったことに関しては、本当に「残念」という一言に尽きます。

一方で、今回の事件報道では「テロ」という言葉が多く使われていました。私はこの言葉の使い方に違和感があったんですね。「テロ」というのは、もともと政治的な意図やメッセージを含みます。たとえば、19世紀のロシアでは、人民主義者たちによる政府要人や政府高官の暗殺や暗殺未遂が多発したわけですが、こうした事件がテロの元祖と言えるものです。１８８１年に発生したアレクサンドル２世の暗殺事件がその代表ですね。日本でも戦前に五・一五事件や二・二六事件など、青年将校が政府高官を暗殺するテロがありました。こうした歴史的な事件と今回の事件とは異なります。

おそらく20世紀末あたりから、テロの質が徐々に変質してきた。かつてのように政府要人を暗殺するよりも、もっと不特定多数の人を殺傷するようなテロが増えていきました。それでも21世紀初めまでは、政治的意図やメッセージが込められていた。２００１年9月11日のアメリカ同時多発テロは、不特定多数の人たちを狙っているけれども、当事者たちには「アメリカ帝国主義への挑戦であり、懲罰だ」という意識があり、明白な政治性がありました。

しかしその後、何が起きているのかというと、こうした不特定多数を狙ったテロが増える一方で、明瞭な政治的メッセージが希薄になってきているのです。今年（2022年）のアメリカでも銃乱射事件が、かつてないペースで多発しています。いったいこれは何を意味しているのか。暴力の行使という面では確かにテロと言えるかもしれない。けれども、政治的なメッセージがまったくの不在なわけで、まさに本物の無差別テロに近づいてきた。

日本でも、ここ15年を見てみた場合、2008年に17名の死傷者を出した「秋葉原通り魔事件」がありました。とても衝撃的な事件でしたが、あのあたりからどういう意図があるのかないのか、よくわからない「テロ行為」が起きるようになりました。16年には「相模原障害者殺傷事件」、19年の「京都アニメーション放火殺人事件」、さらに21年には女性嫌悪的な動機から小田急線や京王線で刺傷事件がありました。

今回の事件は、そういう政治的メッセージや意図が不鮮明な事件に位置づけられるか、それとも政治的なテロの復活なのか。この点がきわめて重要なのではないか、と思います。

望月　容疑者の母親が当時の統一教会に入信し、多額の寄付をした結果、破産し家族がバラバラになったと報道されています。容疑者は海上自衛隊に3年ほど在籍しますが、その後は派遣会社を転々とします。拠（よ）りどころとなる家族や友人もおらず、格差の中で大変な生活を強いられ、孤立を深めていった点で、秋葉原通り魔事件の犯人と通じるものがあります。

容疑者がやったことは、言論活動を暴力によって封じるという卑劣な暴挙で、決して許されるものではないです。一方で、「親が旧統一教会に入信し、自分は結婚したくないのに、教会が決めた人と結婚させられそうだ」というような相談を、知り合いの学生から受けたことがあります。

容疑者は、学生時代は応援部やバスケット部で活躍し、頑張っていたと報じられています。私より若い彼のような人が、親が1億円もの献金をしたことによる破産、家族の離散を経験し、頼れる家族や仲間を見つけられないまま、旧統一教会への恨みと怒りを、幹部とつながりのある安倍元首相に向けていったことを考えると、もっと早い段階のどこかで彼を社会が救うことが出来なかったのかと、胸が締め付けられます。彼のような信仰2世は、他にもたくさんいるのだと思いますし、旧統一教会の霊感商法のような手法が、2010年以降、本当になくなったのか、警察は適切な捜査をしてきたのか。弁護団の話を聞くと、刑事事件になってないが、綿々と被害は続いていると感じます。警察・検察は、これを機に徹底して調べていく必要があると思います。

安倍元首相の祖父・岸信介氏が、反共団体として政治団体の「国際勝共連合」の創設に関わったとされていますが、安倍さんをはじめ、自民党保守政治家と旧統一教会との関係はどのようなものであったのか、取材を進め、しっかり解き明かしていく必要があると思っています。

白井　大変不幸な事件であることには変わりありませんが、容疑者が供述するように、安倍さんと旧統一教会との関係が事件の引き金になったとするならば、自民党と旧統一教会の関係、その闇を表に出してはっきりさせるべきでしょう。

「頑張れ、岸田」と立憲の退潮

望月　21年9月に自民党の総裁選があって、現総理の岸田文雄さんが勝ちました。実は宏池会の岸田さんは高市早苗さんと組んだから総裁になれたというところがある。つまり岸田さんは、安倍さんが会長を務めた清和政策研究会（当時の会長は細田博之さん）の支援があったからこそ首相になれた人物です。

だから、もっと安倍さんに配慮するのかなと思っていたらそうでもなかった。憲法改正について「やります」みたいなことは言いますが、実態として見ると、清和政策研究会の中でも非安倍派と言われる松野博一さんが官房長官、同じく高木毅さんが国対委員長だったりします。あるいは岸田さん、幹事長の茂木敏充さん、副総裁の麻生太郎さんは、3人でちょこちょこ会合をしていて、いわゆる「大宏池会」構想が根底にあるのではと言われています。安倍さんがライバル視していた林芳正さんを外務大臣にするなど要職への登用を含めて、岸田さんは、どちらかと言うと安倍さんに対する距離を感じました。

白井　岸田さんは温厚そうに見えますが、曲がりなりにも自民党のトップになれたのだから、それなりに権力闘争ができる力はあるはずです。清和政策研究会は非常に人数が多くて、その意味で強大です。けれども、実は大きくなりすぎて一枚岩になれず、その中で安倍派と非安倍派に分かれてきている。そこで岸田さんから見える狙い目は何か。当然、清和政策研究会を全部敵に回すわけにはいかない。だからその中の非安倍派を手なずけるという戦術を取っている。一方で、麻生さんにサポートしてもらうという戦術も取っている。

望月　「割とうまくやっているな」と、リベラル側の一部も岸田さんを見ています。日本維新の会の躍進や立憲の体(てい)たらくの中で、「頑張れ、岸田」みたいな声さえ聞こえてくる。

私は自民党を支持している立場では全くないけれども、立憲の不安定さや自民党を利するような連合の芳野友子(よしのともこ)会長の立ち振る舞いなどを見ていると、維新への反動として、リベラル側が「頑張れ、岸田」になってしまうのも無理ないのかなと感じてしまいます。

白井　「頑張れ、岸田」と言うしかないというのは、相当危うい政治状況ですが、本当にそうなりかねない。何しろ立憲民主党がもうダメじゃないですか。22年7月の参議院選挙で議席を減らし、比例票で維新に敗れました。こうなると、「もう岸田さんに頑張ってもらうしかない」となってておかしくない。冗談じゃなくて、そんなふうになりそうですよね。

望月　立憲の問題は何だと思いますか。代表の泉健太さんは、佐渡金山の世界文化遺産への推薦が韓国から問題視されていることに対して「推薦の閣議了解は正しい」と言うなど、いかにも17年に東京都知事の小池百合子さんが立ち上げた「希望の党」（21年10月解党）に入った人らしいなと感じました。

一方で、共産党の閣外協力なども含めて、これまでの立憲は「メッセージの伝え方が悪かった」という中途半端な言い方をしていますよね。朝日新聞の南彰さんとか、現場で取材している政治記者たちに聞くと、泉さんには前代表の枝野幸男さんと同様の悩みと苦しさがあると言います。つまり、共産党と共闘しないと選挙に負ける。しかし連合の支援なしにはまともに選挙戦ができない。だから共産党を嫌っている芳野さんを切ることができない。こういう非常にやりづらいポジションに置かれているわけです。一番の原因はトヨタ労組がトップの意向で相原康伸（はらやすのぶ）事務局長を連合の会長にすることを取りやめさせたことが、現在の混乱と問題を生んでいます。

また、キャラクターで見るとどうか。政治記者たちが言うには、枝野さんはすごく賢くて真っ当で論争もうまい。けれども明るさと突破力が足りない。記者にちょっと斜めに質問されると、すごく敵対的な反応をする。私の印象も同じようなものでした。野党のリーダーには、れいわ新選組代表の山本太郎さんのように、記者からの批判に「ご指摘ありがとうございます」などと言って、野党に厳しい論調の産経新聞の記者さえも身内に入れようみたいな気概が与党以上に必要だと思います。枝野さんはそこが弱くて、少しでも批判的な質問がくると、すぐにむっとして暗い顔をしてしまうところがあると聞きます。

そんな枝野さんに比べると、泉さんはちょっとパフォーマンス系、アメリカチックではあるけれども、いつもニコニコ顔で、明るく「ご指摘ありがとうございます」と言いますよね。

もちろん、枝野さん的な護憲派リベラルのイメージとは、だいぶ違うんじゃないかという批判もあります。ただ、右左の偏りで言うと、特に党代表選を見ていて、どちらかと言うと代表代行の逢坂（おおさか）誠二さんのほうが保守的な感覚で答弁していると感じたし、泉さんが中道的になっているなと感じました。立憲はそもそも迷走しているからダメなのか、泉さんではダメなのか。どうすればいいんでしょうか。

白井　結局、今の局面では誰がやったってどうしようもないと思う。もう泉さんがどうこうという状況ではないでしょう。言い換えれば、枝野さんが21年10月の衆院選で負けたことのすさまじい重さですよ。要するに、そもそも「ちょっと今回うまくいかなかったね。でも、次また頑張ろうね」などと言えるような選挙ではなかったんですね。負けたら党の滅亡にそのままつながるという選挙だった。生きるか死ぬかが懸かった勝負だったのに、枝野さんはそのことがわかっていなかった。本気じゃないとしか見えなかった。その時点でもうダメだったわけです。

望月　衆院選の前に立憲の幹部と話したら、そもそも自民と公明は全く違う考えの政党なのに、選挙協力を一枚岩でやれている。だから強い。それと同じような関係を立憲と共産も目指すんだと言っていました。共産党が政権に入るのかとか日米同盟を破棄するのかとかいろいろ騒いでいるけれども、自公も10年、20年やると文句も言われなくなっているのだからと。

しかし選挙に負けた。自公や維新は、共産党との共闘を立憲に対する一つの攻撃材料として使いました。「立憲が政権を取ったら共産党が内閣に入ることになる。とんでもないことだ」と批判した。うまく攻めてきたなとは思いましたが、結局、その攻撃に負けてしまったように見えました。

その直後の朝日新聞の世論調査によれば、立憲と共産などが「選挙協力するべきだ」が27%、「そうは思わない」が51%にも達しています。また、今後の野党の候補者一本化については、「進めるべきだ」とするのは立憲支持層では47%、無党派層だと21%です。つまり、いまだに全国的に、想像以上に「共産アレルギー」が一定層にいるわけですよね。

ただ、立憲の中でも共産と協力関係があったから当選できたと話す人と、共産と距離を置いていることで当選につながったと話す人もいるので、選挙区によって事情は違うでしょう。けれども全体として多くの有権者は、自公を受け入れているようには立憲・共産を受け入れられない。国会議員で言えば、共産党の議員は総じてかなり質が高いと思います。そういうことを見ずに共産主義に対するイメージだけで投票行動を決めているとしたら、それは立憲にとって本当に苦しい状況です。

夏の参院選の全国32の1人区のうち、与野党一騎打ちとなったのは11選挙区のみ。野党が全1人区で候補者を一本化した2016年、19年とは全く異なる様相となりました。

共産党の強みと弱み

白井　日本の反共主義、正確には反日本共産党主義ですが、これはものすごく根深いものがあります。それが21年の衆院選で改めて明らかになったということでしょう。ただ逆に言うと、支配層から見れば、共産党に対する脅威の認識というのが高まっているのだと思う。結局、私が問題視している対米従属というのは、共産党がずっと問題にしてきたことですよね。

戦後の議会左派全般を見渡すと、大まかに言えば共産党系と、社会党などの非共産党系に分かれます。非共産党系の人たちは、やがて民主党政権を作る流れの中にかなり入っていきました。この人たちの問題は対米従属の問題が見えていないことです。だから普天間基地問題で鳩山さんを支える人はおらず、鳩山さんは辞任に追い込まれた。あるいは「これからは国連ベースだ。日米安保は維持するけれども、米軍は第7艦隊だけいればいいんじゃないか」と言った小沢一郎さんが総理になるかという寸前で、政治資金問題の「陸山会事件」で検察にやられた。その時、民主党の一方の実力者だった新左翼上がりの仙谷由人（せんごくよしと）さんは、鳩山さんと小沢さんを助けずにむしろ後ろから斬ったわけです。

要するにこれは、非共産党系の左派の流れをくむ人たちにいかに対米従属の問題が見えていないかということの証左だと思いますね。ところが仙谷さんに対する玄人筋の評価はかなり高い。私には全く理解できないのですが。

望月　与党、野党を問わず、魅力的だった政治家は誰かと聞くと「仙谷さん」と言う人がすごく多いんですよ。右とも左とも合う、そういう度量の広さが人間としても政治家としても魅力的だったという評価です。ただ、彼がやろうとしてやれなかったことは多々あるだろうし、ある意味カメレオンみたいな人だと思うので、私のイメージは最後まで良くないままでしたね。

白井　左派筋では若い頃から彼と友だちだったからとか、味方が多いために評価も甘くなっている。突き放して見れば、あの民主党政権をダメにした張本人は仙谷さんじゃないですか。それがその後の日本政治の展開にとってどれだけ罪深いことであったか計り知れない。ある意味、仙谷さんは二〇一二年体制の父ですよ。

望月　共産党系が対米従属の問題をずっと見続けていられるのはなぜでしょうか。

白井　敗戦直後の記憶にまで遡る話なのですが、アメリカから本当にガツンとやられたのは共産党だからなのでしょう。

望月　体感として、DNAとしてアメリカの怖さを知っている……。

白井　はい。戦後、アメリカと正面衝突したのは共産党でした。1947年から労働争議が厳しく規制されるようになり、49年の下山事件、三鷹事件、松川事件など反共キャンペーンが本格化する。50年には共産党支持のデモ隊と占領軍が皇居前広場で衝突し、吉田茂内閣が共産党の幹部たちを公職追放にする「レッドパージ（赤狩り）」を行った。こういう「逆コース」は、当然ながらGHQ、つまりはアメリカの意向だったわけです。共産党自身も混乱し、一時は武装闘争路線を追求しましたが、これは大失敗に終わった。

あるテレビ番組で共産党の小池晃さんと一緒に出た時に、控室で小池さんが「白井さんの本、よく読んでいるけど、改めて日米安保の問題が問われているよね」なんていう話をした。ちょうど対米従属をテーマにした『知ってはいけない――隠された日本支配の構造』（矢部宏治著、講談社現代新書、2017年）が話題になっていたので、「矢部さんの本も注目されていますね」と言ったら、「どうしてあれが受けるんだろうね。別に当たり前のことを書いているだけだよね。ああいう話、僕なんか大学時代に学習会とかで散々聞かされたよ」と。要するに、対米従属の問題は共産党の人からすると「何を今さら」なんですね。

ただしこのことは、共産党の強みであり弱みであると思う。強みはもちろん本質が見えていること。弱みは、最初に説明した70年代から90年頃までのアメリカの支配が見えなくなる時代に、日本のほとんどの人にとってそれは全然意識されなくなった、ということをよくわかっていないのではないかということです。簡単に言えば、世間の感覚とずれているわけですね。実際、世論調査をすると、共産党の政策のなかで最も支持が低いのが、日米安保体制をやめるという外交・安全保障政策です。やはり、この点で国民をどう説得するのかという課題がネックになっています。

しかし、そういう共産党に対して、21年の衆院選で示されたように、日本の権力中枢は本気で「やばい」と思っている。それはなぜかと言えば、不可視化されてきた対米従属の問題がいよいよ隠せないところまで、そこかしこに現れてきているからでしょう。だから、首尾一貫して対米従属の問題をずっと訴えてきた古強者(ふるつわもの)の批判者たちが一番怖いわけです。実際、日米安保や地位協定にまつわる密約の問題などを徹底的に暴いて、優れた研究を世に出してきたのは主に沖縄の研究者とメディア関係者、そして共産党系の人たちですから。執念が違うんですよ。

望月　蓄積してきたデータとかも質・量が違うでしょうね。山本太郎さんがれいわを立ち上げてブームになっていた頃、小泉純一郎さんを取材したことがあります。「どこの政党が怖いんですか」と尋ねたら「共産党」と即答でした。共産党にはある意味リスペクトを持っていて、ずっと見てきたから肌感覚でそう思うのでしょう。「いろんな党が出ては消え、出ては消えしちゃうけど、本質的なところを鋭く突いて怖いのは共産党だ」と言っていましたね。

対米従属外交の悲哀

望月 小泉さんには、2003年の自衛隊イラク派遣についても聞きました。人道支援とか後方支援とか言っても、実質はアメリカのイラク戦争に加わるような話だった。「そんなイラク派兵を、なぜ認めたんですか」と突っ込んだら、「じゃあ、俺はどうすればよかったんだー！」と怒りました。小さな島国の日本にとって、安全保障で生き残る道は、日米安保の堅持しかない、それ以外の選択肢はあり得ないだろうと、そういう真意からの言葉だったようです。

白井 私は近著『主権者のいない国』の中で、朝鮮半島問題について書いていて理解したのですが、小泉さんは対米追従のイラク派兵の一方で、北朝鮮問題に取り組んでいて、北朝鮮と国交樹立しようとしていた。実はそれはものすごく思い切った、ある意味で反米的な行為だったわけです。

当時、ジョージ・W・ブッシュ大統領のアメリカは対テロ戦争を宣言して、国際社会で結束してテロ支援国家を追い詰めようと呼びかけていた。そのなかで北朝鮮はテロ支援国家として名指しされた。そのような最中に日本は、日朝国交正常化をやろうとした。アメリカは当然、いい顔をしなかったはずです。小泉さんは水面下で相当プレッシャーを受けていたでしょう。それでも02年に金正日(キムジョンイル)委員長と首脳会談をして、拉致問題の解決と国交正常化交渉の開始を盛り込んだ「平壌宣言」を出したわけです。

ですから、イラク戦争への参加は明らかに償いだったんですよね。しかし結局、それは単なる償いであってディール（取引）ではなかった。つまり「評判の悪いイラク戦争に賛成してやる、自衛隊も出してやるから、その代わり、北朝鮮のことでは文句を言うな」とはできなかった。

日本のイラク派兵でブッシュはすごく助かった。あの時、西ヨーロッパからはほぼ総スカンという状況でした。それでブッシュは小泉さんをテキサスの自宅に招いたり、小泉さんが大好きなエルヴィス・プレスリーの故郷メンフィスに連れて行ったりと大歓迎した。要はこの恩に報いるためです。

でも結局、ディールはできなかった。それはなぜかと言えば、当時官房副長官だった安倍さんをはじめとする右派の人たちが拉致問題でポイントを稼ぐために大騒ぎをして、国交正常化を吹っ飛ばしたからですね。もちろん、小泉さんにどれだけ覚悟があったのかという話でもあって、たぶん彼にはそれだけの覚悟がなかったし、大局を見ていなかった。結局、小泉さんは逃げ出したんですよ、北朝鮮問題から。うがった見方をすれば、拉致問題がクローズアップされることで国交正常化の話が流れ、アメリカに盾突（たてつ）かないで済む理由が見つかった、ということかもしれない。

望月　当時、実質的にすべてを握って動いていたのは外務省アジア大洋州局長だった田中均さんです。田中さんには、日米安保は重要だけれどもその先を考えないと日本の国益は守れない、対米従属だけではダメだという信念みたいなものがあります。こういう田中さんのプラグマティズム的な考え方と全く合わないんでしょうね。

白井　田中さんがたくらんでいたのは、非常に大きなことだったはずです。なぜなら、国交正常化は東アジアにおける冷戦を、日本がイニシアチブを取って終わらせるということになるからです。そうだとすれば、これはアメリカ主導ではない日本主導の自主外交です。小泉さんも同じように考えていたのかどうか。彼は回想録『決断のとき──トモダチ作戦と涙の基金』（集英社新書、2018年）の中で、「俺は金正日に言ったんだ、核開発なんかやめたまえと。戦争準備なんかやめて平和を追求して、経済発展したほうが絶対みんな、あんたの国の人たちも幸せになるよと言ったんだ」というふうに書いています。

すごくカジュアルな言い回しですが、実はすごい内容です。北朝鮮にとって戦争準備というのは、漠然とした話ではなくて、朝鮮戦争のことを意味せざるを得ない。つまり、朝鮮戦争を終結させようと呼びかけたわけです。結局、北朝鮮問題の根源はすべて朝鮮戦争です。だから、その終結をやらないと何も解決しない。何で北朝鮮があんなハリネズミみたいに武装しているのか。また戦闘が再開するかもしれないから。拉致のような異常な事件を起こしたのも、北朝鮮自身が戦争を継続中だからです。北朝鮮は戦争中であるという前提ですべてを認識し考えている。それに対して小泉さんが「もう朝鮮戦争は終わりにしよう」と言ったわけです。その話を金正日はどう受け取ったのか。朝鮮戦争を終わらせれば話が全部変わってくるのだから、当然終わらせたい。けれども朝鮮戦争は、北朝鮮、韓国、それから中国、アメリカが関係しているのですごくややこしい。それを日本が終結へ持っていくために、ひと肌脱ぐという話だと受け取ったと思います。

ここでよくわからないのは、小泉さんは自分の言ったことが相手にどう受け取られるのかをどれだけ自覚していたのか、ということです。「ひと肌脱ぐ」ということはほとんど考えていなかったのではないか。回想録の言い回しのとおり、漠然と軍国主義は止めたほうがいいよ、というようなことを言ったに過ぎなかったのではないか。

ブレブレだった安倍外交

望月　鳩山さんの失脚については、外務省が普天間基地移設に関してアメリカの意向に沿って虚偽のレクをしていたという話がありますよね。犯罪に近いような偽装工作を平気で時の首相にやるとしたら、「首相よりアメリカなんだ」という感覚があるとしか思えない。そういう感覚がないと外務省の中では出世できないんでしょうね。

白井　外務省内で起きていた大きな地殻変動の影響があったと思います。2002年に収賄容疑などで外交族の衆議院議員の鈴木宗男さんが逮捕される「鈴木宗男事件」が起きます。ほぼ並行して、田中均さんが主導した北朝鮮外交が結局のところは頓挫します。

鈴木さんと同時に背任容疑などで逮捕された外務省出身の作家の佐藤優さんはこういう整理をしています。当時の外務省の中には三つの派閥があった。アメリカ派とアジア派、それから地政学派です。アメリカ派は当然、対米従属。アジア派はとりわけ中国を重視する。田中さんはアジア派なのでしょう。地政学派はそれぞれ場合によって、いわばイーブンで考える。佐藤さんは地政学派で、その親玉の政治家が鈴木宗男さんだったんですね。

要するに、鈴木宗男事件と対北朝鮮外交の頓挫でもって、対米従属のアメリカ派がアジア派と地政学派を駆逐したわけです。つまり、日本の外交は三つのいわば派閥のバランスで成り立っていたのが完全にアメリカ一辺倒になった。そういう構図の延長線上で鳩山さんの失脚も起こったということでしょう。

佐藤さんは「自分だって日米同盟は日本の基軸というふうに常々言っていたんだよ」と話していました。「でも、アメリカ派の人たちは信用してくれなかった」と。「どうもおまえの言葉には真心が感じられない」と。佐藤さんは真心不足で牢屋送りになったのかもしれません。

望月　ロシアとあれだけパイプがあると、なかなか信用してもらえないということでしょうか。

しかしこれからを考えた時に、米中新冷戦になっていく中でアメリカ派が強くなってしまって、本当にそれでいいのか。たとえば、21年11月にアメリカの国防総省は「中国の核弾頭保有数は30年までに少なくとも1000発になる」などと記した年次報告書を発表しました。中国の軍事的脅威が増している、だからこちらも対抗措置を急げというわけです。

アメリカは中国が軍事力の巨大化だけでなく、外交も幅広く展開していることに対して、すごく懸念を持っています。その流れの中で、日本はアメリカの意向やカナダによる中国通信機器大手「ファーウェイ」の孟晩舟（モンワンチョウ）副会長の逮捕から始まった米中デカップリングやイギリスのEU離脱などを受け、「経済安全保障推進法」を作るなど、中国に対する牽制（けんせい）的なことをやり出しています。

相対的に中国が伸びていてアメリカに対する脅威になっている。その狭間にいる日本はパワー・ポリティクスの中で、どういうふうに立ち振る舞っていくべきなのか。対米従属から対中従属になっていくことだってあり得るかもしれません。

白井　今は水面下で足の蹴り合いみたいなことになっていると思います。たとえば、岸田さんは日中友好議員連盟会長だった林芳正さんを外務大臣に据えた。そうしたら安倍さんが機嫌を損ねて「台湾有事は日米有事」とか言い出したわけです。

安倍外交は本当にいい加減だったと思う。安倍政権の前半は基本的に対米従属の強化だったんですね。集団的自衛権やTPP（環太平洋パートナーシップ協定）などによって、アメリカと一緒に中国包囲網を作ろうとしていました。

けれども途中で現実に気づかざるを得なかったのでしょう、「中国包囲網なんて無理だ」と。かつアメリカがトランプ政権になって、何を考えているのか訳がわからなくなってきた。ただトランプは貿易問題で中国とガンガンやり合い始めた。それで安倍さんは何をやったかというと、日中関係の改善を目指したんですよね。経済的に日本は、どう見たって中国抜きで生きていけるはずがないという現実に直面して、トランプを横目に見ながら、習近平（シーチンピン）を国賓で呼ぼうとした。コロナ禍が起きていなければ習近平は日本に来たはずだった。

対露接近も同じ文脈にあったと思うのですが、外交の多極化を振付している人間がいたのかもしれません。安倍政権の後半は多極化を志向したように感じます。ところが安倍さんは首相を辞めて責任のない立場になった途端、「台湾有事は日米有事」などと、また対米従属になっていた。

望月　本質的にはアメリカべったりなのでしょうね。

沖縄は日本全体の縮図

望月　日本の政治状況を考えるうえで、沖縄の基地移設問題はやはり避けられないですよね。

現職有利ということもあったでしょうが、22年1月の名護市長選で反対派のオール沖縄の候補が負けました。オール沖縄は県知事選で翁長雄志さん、玉城デニーさんを当選させてきたけれども、最近はいろいろ人が抜けたりして分裂ぎみと言われています。その影響もあったかもしれません。

市民の感覚からすると、反対していることへの疲れとあきらめがあるのでしょう。県民投票やさまざまな選挙のたびに反対の意思を示しても、辺野古の埋め立てはどんどん進んでいます。一方で、米軍再編交付金みたいなものが名護で年間15億円ほどあって、それが給食費とか学校など県関連施設の整備費や建設費とか、目に見えるインフラに使われている。だったら少しでも生活が豊かなほうがいいと判断した。これは沖縄の選挙で繰り返されている図式ですが、意思は示せど国は動かぬという状況の中でのいわば消極的選択なんですね。

白井　沖縄の意思は繰り返し示されたわけで、結局、東京であり本土の問題ですよ。翁長県政時代に法的手段による差し止めが司法プロセスで試みられたけれども、これを極めて強引なかたちで東京の安倍政権がつぶした。その安倍さんを本土の人々は支持していた。

だから早い話が、本土の住民が今の状況を沖縄に強いていて、はっきり言えば、それでいいんだと思っているということです。それに対して沖縄がどう反応するか。もちろん、金を取れるだけ取るという方向性が強くなるのは、ある意味当然のことだと思います。そうなると、東京との関係は表面的には良くなる。これは沖縄と本土との間で繰り返されてきた構図です。しかし、繰り返されるたびに、面従腹背の「面」と「腹」の乖離はより大きくなる。つまり、表面上の融和的妥協的姿勢とは裏腹に、溜まったマグマの量は大きくなるでしょう。

　ただ、一つ気になるのは、沖縄で年齢層によってだいぶ世界観が変わってきたと言われていることです。具体的には戦争の記憶の問題ですが、その生々しさが薄れてきていること。体験として知っている人たちがどんどん亡くなっていて、伝聞になってきている。そうすると、要は迫真性が薄れてくるわけです。それは当然、米軍基地をどう見るかという視線の問題にも影響してくる。今、県民の意識調査をやると、上の世代は非常に不愉快なもの、あってほしくないものというふうに見ているものが、下の世代はその感情が変わってきていて、ある意味、肯定的というか自然なものになってきている傾向が見られるという。

　沖縄の新聞「琉球新報」と「沖縄タイムス」は相変わらず頑張っているけれども、一方で、そういう危機的状況が出てきている気がします。どう思われますか。

望月　東京新聞は半年間、記者を琉球新報に出向させていますが、中道を気取っていたようにも見えた若手が行くと、めちゃくちゃ基地問題に高い問題意識を持って帰ってくるんですよね。日々軍用機の轟音を聞くので、すごく理不尽な環境下に県民が常にさらされているのを肌感覚で経験するからなのでしょう。

そういう意味では、沖縄の若い世代はすごく異質な環境で暮らしているという生活実感を十分に持っているし、それが全く改善されていないことに対する不満があるはずです。特に親御さんたちは保育園とかに米軍機の部品が落ちてきたりしているので、子どもたちの身の危険を感じていて、基地の存在を見過ごすことはないと思います。暴行事件も起きたりするので、沖縄の反基地感情は決してなくならないでしょうね。本土で同様のことが日々起きていたら、米軍基地への反発感情は同じように強まるでしょう。

白井　本土の人間は、そういう困難を沖縄に強いていて平気でいるわけです。この状態は都心の六本木あたりに米軍のヘリでも墜落しない限り、ずっと変わらない気がします。

望月　全国紙の扱いも沖縄絡みになるとどうしても小さくなってしまうし、視聴率が取れないからと言ってテレビもやりたがらない。たとえば、韓国はソウル市内に米軍基地があるんですね。だから市民の肌感覚でも切実で、メディアの食いつきもいいわけです。日本も韓国のように都心にあれば全然違う扱いになるのでしょうが。

白井　私が寄稿したネット記事なんかでも沖縄に関するものはアクセス数が少なくなります。とにかく関心の外にあるということでしょうね。

望月　原発と同じような構図もあると思う。「交付金や補助金で潤っているからいいだろう」という人がいますよね。沖縄に対しても、いまだに「基地で経済が潤っている」という言説がある。でも実際は、沖縄経済の基地依存度はわずか5％ほどです。翁長さんの時にパンフレットなどを出したりして、その事実はだいぶ広まったはずなのですが。

原発問題にしても沖縄の基地問題にしても「お金をもらっているならうるさく言うな」という空気がまだあるし、そこから離れた場所にいる人たちは不都合な事実から目をそらしてしまう。たとえば、事故前に福島の原発で発電された電気はすべて東京で使われていたわけです。そういう事実を見たくない、知りたくないという心理がやはりあるんでしょうね。

白井 沖縄が置かれている状況はまさに日本全体が置かれている状況の濃縮版です。それをみんなわかっていない。日米安保条約にしろ日米地位協定にしろ、沖縄だけに適用されているのではなくて、全国に適用されているわけで。

要するに沖縄の基地問題は他人事じゃないんですよ。沖縄に基地を押しつけていることに対して、見返りがあるからいいじゃないかというのは論外として、良心的な人は申し訳ないと思うわけだけれども、申し訳ないだけで済む問題でもない。われわれ全員が置かれている状況が沖縄に集約的に表れているのですから。

日米地位協定の卑小な構造

白井 日米安保条約の本質は何か。サンフランシスコ講和条約と日米安保を主導した米国務長官顧問のジョン・フォスター・ダレスは「好きなところに好きなだけ、好きな期間、基地を設置する権利、これを獲得できるかどうかが日米安保条約交渉のポイントだ」と言った。そして現にそれをアメリカはやり遂げたと認識している。つまり、日本列島丸ごとが戦利品ということです。その現実を沖縄に集約することによって、本土ではそれを忘れることができる。でも、本質は変わらないわけです。

そのことがわかってないから、地位協定の改定一つ始まらない。沖縄や岩国の米軍基地でコロナが広まったのはある意味で好機だったんですよね。けれども、例によって例のごとく政府は何もやらなかったわけです。

望月 ドイツもイタリアも韓国も国内事情を最優先にして、具体的に改定に取り組み、それを実現しています。でも、日本は議論の土俵にさえ持っていこうとしませんでした。全くPCR検査もせず、あれだけ感染を拡大させていたのに放っておいた。改定なんてそういうチャンスがなければなかなかできないでしょうに、自ら放棄したんですね。ドイツ、イタリアはNATOがあるからできるのかもしれませんが、じゃあ、韓国と比べた時にどうか。韓国にできて日本にできないって、どういう特別な事情があるのか。よくわかりませんよね。

白井 特別な事情とは奴隷根性であり、それが自民党のDNAですよ。要するに戦前のファシストが、アメリカによって免罪してもらって復権してできた政党なわけだから、それが自民党の不変の本質です。

望月　民主党政権の時に閣僚を経験して、今は自民党の衆議院議員の細野豪志さんが「政権内に入るまで、こんなにアメリカに強く影響されなきゃいけないとは思わなかった」と言っていたと聞きました。2012年に民主党の野田佳彦首相が閣議決定で原発ゼロを打ち出そうとした時、発表直前に「見送り」というニュースが出たことがあったんですね。あとで外務省の機密文書を見る機会があったのですが、結局、アメリカの「ジャパン・ハンドラー」のような人たちが日米の交渉過程の中に入り込んで、「原発ゼロに踏み切ったら日米安保がどうなるかよく考えろ」と脅しているんですよ。こんなヤクザみたいにひるませるのかと驚いたことがありました。

白井　でも端的に言うと、ひるむほうが悪いんですよ。あるいはややこしい構造があって、ジャパン・ハンドラーに日本側の役人とかが働きかけてそれを言わせている可能性もあります。

望月　確かに、外務官僚とかからの説得があったのかもしれない……。

白井　そういう構造が集約化され、可視化されたのが10年に民主党の鳩山由紀夫さんが総理を引きずり下ろされるプロセスだったわけです。けれども、そこから何も学んでない、学ぼうともしない。「アメリカの脅しをどうやって乗り越えていくんだ?」という発想が細野さんにも全くなかった。だから今更のように嘆いてみせたのでしょう。

望月　日本はワシントンのシンクタンク「戦略国際問題研究所（ＣＳＩＳ）」に外務省経由で毎年５０００万円くらい寄付しています。じつは、そこで日本の外交政策が決まっているとも言われている。ＣＳＩＳと外務省の官僚たちが組んで、日本の政治家たちに何かと吹きこんで発信させているとしたら、それは民意ではなく完全にマッチポンプでしょう。やはり異様ですよ。

白井　新外交イニシアティブの猿田佐世（さるたさよ）さんが書いておられるけれど、わざわざアメリカに金を払って命令してもらっているわけです。日本の政治家がＣＳＩＳで講演をすると、アメリカの聴衆を前にこんなことを言ったなんてわりと大きなニュースになったりします。でもじつは、その講演を聞いていたのはほぼ日本のプレスだけだったりする。こうした構造はすべて卑小で、腐り切っているとしか言いようがないですよね。

「身を切る改革」の危うさ

望月　政治状況で言えば、21年の衆院選で大幅に議席を伸ばした維新についても話しておきたいですね。大阪府知事・大阪市長を務めた橋下徹さんが立ち上げた大阪維新の会は「身を切る改革」で一定層に、受けてきたわけです。大阪が放漫財政だったところもあって、それを緊縮化させて、浮いた部分で別のことに投資するという政治です。たとえば府知事、市長、議員、職員の報酬・給料や人数をカットしたり、高給取りと言われていた市営バスの運転手の給料を引き下げたりして、それを私立高校とかの一部無償化につなげたなどと言われている。つまりそれは、いわゆる公務員バッシングをベースにしたやり方です。大阪維新の会を母体にする国政の日本維新の会も、もちろん、国会議員の削減などの身を切る改革、経済成長への投資を主張しています。

自民党の元幹事長は、各地の市議会や町議会のレベルで維新派の議員を増やして、市長や町長など自治体のトップに維新派を増やしてという積み上げ方式で国政に来ているから、そういう意味では足元がしっかりしていて、22年7月の参院選も怖いところがあると言っていました。

しかし、公務員をひたすら削りまくるようなことをやって、果たして住民の満足度や幸福度が高まっているのかどうか。たとえば、大阪市には一つしか保健所がなくて、コロナ禍でパンク状態になったと言われています。厚労省の調査では、7月1日現在、人口100万人当たりのコロナ感染者の死者数は全国平均約248人ですが、大阪府は約590人とその倍以上で全国最多になっています。これはやはり保健医療行政に関わる公務員減らしの影響ではないでしょうか。

『日本再生のための「プランB」――医療経済学による所得倍増計画』（集英社新書、2021年）などの著書がある兪炳匡（ゆうへいきょう）さん（医師、神奈川県立保健福祉大学イノベーション政策研究センター教授）は、日本のＧＤＰが下がっている一つの要因として、公務員の給与が減っていることをあげています。ＧＤＰの計算上、公務員の給与が重要項目になっているからなのですが、特に保健や医療、衛生というフィールドは世界のどの国を見ても成長産業分野の一つになっている。だからそれに関わる公務員にも一定の投資が必要だというわけです。これはコロナ対策とも連動する話だと思います。

小泉さんや経済学者の竹中平蔵さんがやってきたような、新自由主義的な価値観で民間に委託したり経営させたりして効率を高めれば「Ｗｉｎ－Ｗｉｎ」になるんだと言われてきたけれども、その利益は結局、株主に還元されるのであって、そこに住んでいる人たちにはなかなか落ちてこない。一方で、成長分野に関わる公務員に投資すればその給与が上がるし、出てきた余剰金はその自治体の中に落とされる。総じて公務員を減らせば「Ｗｉｎ－Ｗｉｎ」になるというのは間違いで、成長分野の公務員を増やしたほうが経済成長する。そんなふうに兪さんは言っています。

国民１０００人当たり何人の公務員がいるのかで言えば、18年に内閣人事局が出した資料によるとアメリカは約64人、日本は約36人なんですね。アメリカはすごく資本主義大国に見えるけれども、実は日本の倍くらい公務員が多いわけです。

その意味でも、一人一人の国民が国からある程度の福祉などの便益を得られている、満足できる生活が保障されているということを、税負担者として実感するためにも、公務員の数を一定数増やして、その利益をきちんと自治体に住んでいる人たちに還元する必要がある。今、政府が行っている新自由主義的な発想の政策は、総じて大企業にはいいけれども、決して市民を利するものではない。こうした兪さんの提言はすごくわかりやすいし、とても腑に落ちる話だと思います。

言うまでもなく、維新も新自由主義的です。維新の「身を切る改革」というスローガンは、ぱっと聞いた時にすごくやっている感があって、確かに一般受けはいいでしょう。けれども、たとえば推進しているＩＲ、カジノ事業で言えば、初期投資額は１兆８００億円。民間企業の出資や事業体の借り入れで賄（まかな）うものの、大阪市が７９０億円ほどかけて地盤改良しなければならないなど、大阪に住む人たちにも大きな負担がかかると言われています。そこまでお金をかける必要があるかということがもっと議論されれば、やはり「ちょっと違うよね」という横浜市のような撤退という結論が出るかもしれません。

また「身を切りながらいろいろやってきました」と言っているわりには、大阪府知事の吉村洋文（ひろふみ）さんが衆議院議員を辞めた時、その月の在職が１日だけなのに月１００万円の文書通信交通滞在費（現・調査研究広報滞在費）を満額もらっていた。あるいは、所属国会議員が文書通信交通滞在費の７割くらいを自分たちの政治団体に寄付していたといったことが問題視されています。

維新政治によって、公共の福祉を含めた十分なサービスが向上したのか、そういう満足度が得られているか、よく検証する必要があります。維新的な新自由主義の勢力が増えれば増えるほど、格差も肯定されるし、それこそ気づいてみたら、利益はみんな外国のグローバル企業に入っていて国民には全く落ちてこない。そういうことになりかねないと思うんですね。

なぜ衆院選で維新が躍進して、こんなに選挙に強いのかというところは分析しなければいけないけれども、そういう分析の結果とは別に、果たして維新のやり方で本当に市民負担を含めて満足のいく政治、行政になっているのかというところが本質的な問題だと感じます。

白井　今回のコロナ対策でもって、維新は非常に劇的なかたちで明らかに結果を出したんですよ。もちろん、悪い意味で。大阪府のコロナ死亡率はワーストワンで、これまでやってきたことが、いったいどういう危険をもたらすものだったかということが本当にはっきりしました。

要するに、普通に考えて維新は統治能力が低い。デタラメを次々に並べ立てることによって、能力の低さを延々とごまかしているというのが維新のやり方じゃないですか。

そして結局、彼らの「しのぎ」の本質は、言ってみれば税金にたかることでしょう。とにかく選挙至上主義で、いろんなところの首長や国会議員、地方議員になるわけです。選挙至上主義というのは、民主主義のシステムでは議席を取らなければどうしようもないのだから、ある意味この戦術は正しいと言えば正しい。選挙に勝って議席を取ればいろんな歳費、手当がつく。それをとにかく取りまくるわけです。その象徴が吉村さんの文書通信交通滞在費でしょう。国会議員を辞める時にタイミングを本当にうまく計って100万円をせしめた。絶対そこで間違えないわけですよ。

彼らは議席を得て歳費をもらえればそれでいいのであって、政策も何もあったもんじゃない。それこそカジノとか、業者と癒着してうまいこと甘い汁が吸えるような案件を一生懸命やっていくわけです。要するに、維新はひたすら金を追求している集団なんじゃないか。

橋下徹は安倍より恐ろしい?

望月　22年1月1日に放映された毎日放送（MBS）のトーク番組に橋下さん、大阪市長の松井一郎さん、吉村さんが出て、たっぷり維新の宣伝をしたのですが、その番組が「政治的中立」に問題があると批判されて、MBSの社長が社内調査を命じるという「事件」がありました。

橋下さんはメディアの使い方がうまいと言うか、とにかくテレビによく出ています。テレビ関係者に聞くと、東京のキー局でも大阪の準キー局でも視聴率が取れるらしい。いわゆる歯に衣着せぬ発言で炎上したほうがテレビ局的にはおいしいのかもしれない。一方で、オンライン署名サイト「Change.org」では、「もう橋下さんをテレビに出すな」というようなキャンペーンに、約2万6400人が賛同しているんですね。

この問題はメディアが慎重に考え直さないといけないと思います。橋下さんは維新に辛いことも言いますが、それさえも維新の宣伝に聞こえます。何しろ「維新の創設者」ですから。今のメディアはある意味、維新の虚像を膨らませているのではないでしょうか。

白井 大阪のテレビは全部、維新の広報局みたいなものになりました。到底見るに堪えないです。橋下さんで視聴率が上がるというのは、取りも直さず、今の日本人があいうのが好きだということにほかならないと思います。

それにも増して私がずっと不思議でたまらないのは、橋下さんが政界に復帰しないことなんですね。彼は政界復帰のタイミングをずっとうかがっていると思うのです。今度は中央政界でしょうが、これまでに何回か、打って出るタイミングはあっただろうに出てこない。本当の大勝負の瞬間はまだだと見ているのか……。

望月 立憲の菅直人(かんなおと)元首相が橋下さんについて「当時のヒトラーを思い起こす」と発言し、なぜか維新の馬場伸幸(ばばのぶゆき)共同代表が抗議するという一幕もありました。なぜ、馬場さんが抗議するのか理解できません。

報道によると、2016〜18年にかけて橋下氏が維新の会から受け取った講演料は計345

6万円で、一回あたりの講演料も彼だけは216万円と他の講師への謝礼30万円と比べても破格です。22年3月末に解消したものの、大阪維新の会の法律顧問も橋下さんは務めており、維新と「一心同体」に見えるような状態です。その橋下さんをテレビが「視聴率が取れるから」と重用することの危うさをもっと考えるべきでしょう。

橋下さんは、お金の面で言うと、今みたいな立ち位置が一番儲かるはずです。言いたい放題で、与野党問わず政治家ともいろんなところで会ってものが言える。もちろん、維新にも顔が利くし、フィクサー的に立ち回れるから、いろんな意味で〝うまみ〟があるんでしょうね。

大阪の時は結局、最後は投げ出したかたちですよね。いろいろなプレッシャーがかかってて、たとえば、やりたかった脱原発も全くできなかった。そういう意味でも今のほうがよほど心地いい。だから政界復帰はないと見ている人もいます。

ただ自民党の元幹事長などが言うには、維新が各地の市町村長を押さえて国政の議席を増やすという、今までのやり方をあと2、3回繰り返せば、巨大政党になる可能性があると。そうなった時に党の顔として橋下さんが出てくるのではないか。つまり、総理になれる可能性が高まるのであれば、たぶん政界に戻ってくるという感じはしますよね。

白井　いよいよ総理の座がうかがえるとなったら、橋下さんが復帰する……。

望月　橋下さんが自民党に行っても絶対に総理にはなれないでしょう。やはり支持率をもっと伸ばして、まず最大野党にならなければいけない。そういうチャンスをうかがっているかもしれませんね。

本当に今、維新政治の躍進をストップさせないと社会が危うい方向に向かっていくと思いますね。

第2章

「政治的無知」がもたらす惨状

デモクラシーの最大の脅威

望月　第1章でも触れましたが、大阪のコロナ対策の失敗などを見たら、維新の「身を切る改革」、公務員いじめや補助金減らしなどの新自由主義的な政策のマイナス面がはっきりわかりますよね。でも、維新人気は落ちないどころか伸びている。なぜでしょうか。

白井　2025年の大阪万博のテーマは「いのち輝く未来社会のデザイン」と、メインの一つが健康です。コロナ対策を見ていれば普通は批判されるものですが、そうはならない。それはなぜか。国民意識的なところでお話をすると、はっきり言ってしまえば「国民の政治的無知」という話になるんですね。しかも非常にまずいことに、まず無知だということへの認識がないし、それを指摘することがタブー化されている。

今や、デモクラシーの最大の脅威は何であるか。それは「政治的無知」であることをはっきり認める必要があります。16年の参院選の時に、映画監督の森達也さんが「週刊プレイボーイ」で「若者は下手に投票しないでくれ」といったことを発言して物議をかもしました。

森さんはこんなことを言ったんですね。今の大学生はびっくりするほど知識がないと。たとえば「憲法を変えたいと思うか、それとも守りたいと思うか」と聞くと、大半「護憲」と答える。「じゃあ、選挙でどの政党に投票するの？」と聞くと「自民党」と答える。自民党が改憲を目指していることも知らないし、自民党が出している憲法改正草案のことも知らない。そういう知識レベルの人たちは投票に来なくていい、来ないでほしいと。

これがものすごく不評で、「いったい何様のつもりだ、なんで左翼はこんなに偉そうなんだ」とか「投票率を上げようと頑張って運動している人たちがいるのに、冷や水をかけるのか、じゃますんな」とか、いろいろ批判されたわけです。

この16年の参院選は改憲が争点の一つだったわけですが、その時に高知新聞が「改憲への『3分の2』高知で83％意味知らず」という調査結果を出しています。つまり、改憲ラインである3分の2の議席数を与党勢力が取れるかどうかというのが重要な争点だとされている中で、その数字の意味を理解している人は2割もいなかった。当時私は、こんな現実がある以上、森さんの発言がなぜ批判されるのかわかりませんでした。

21年10月の総選挙でもそうです。日本維新の会が躍進しましたが、「大阪は維新の吉村知事がコロナ対策で頑張っていてうらやましい」という理由で投票する人たちが山ほどいたわけです。つまり、大阪の100万人当たりのコロナ死亡者数が全国で断然ワースト1位という実態を全く知らない。有権者のレベルがこんなものであるなら、まともな判断などできるわけがない。森さんの言った、「投票しないでくれ」というのは正論ですよ。

18歳で自動的に選挙権が与えられるというシステムを採用しているのは、その年齢に達していればそれなりの理性的、合理的な判断ができるだけの知的成熟ができているという前提に立っているからでしょう。けれども、現実は全くそうではなくて、最低限必要な知識を持っていないし、持とうとすらしていない。「そんなの持っていなくても、権利は権利だ。別に成熟してなくていいんだ」というのであれば、「じゃあ、0歳児から選挙権をあげるべきじゃないか」という話になるはずですね。

むしろ今日のような政治的無知の状況で選挙をやっていることのほうが狂っていないでしょうか。こういうことを言うと「傲慢だ」といった批判が出てくる。しかし、民主制はそれを担うにふさわしい有権者によって担われなければ堕落する、という事実は当たり前の道理であり、誰もが指摘してきたことです。だから、政治学者として、今日の日本では民主制がマトモに機能などするはずがないとはっきり言わざるを得ないほど、日本の政治状況は酷い。

もちろん、この問題は日本に限りません。アメリカの政治学では政治的無知は一つのテーマになっています。たとえば、ジョージ・メイソン大学ロースクール教授のイリヤ・ソミンの『民主主義と政治的無知――小さな政府の方が賢い理由』（信山社、２０１６年）には、アメリカの事例が豊富に紹介されているんですが、なかなか衝撃的なものがあるんですね。

オバマケアがいろんな論争を経て鳴り物入りで導入されたけれども、導入される制度の内容を理解している人は半分に満たないとか、自分の州選出の上院議員の名前を一人も挙げることができない人が半分以上とか、選挙戦の真っただ中でも候補者の名前を言える人は半分以下とか。要は、そういう政治的無知の延長線上にトランプ政権ができるわけです。極めて広範な無知があって、その土壌の上に陰謀論、フェイクニュース、デマが種としてばらまかれる。そうすると、恐るべきポピュリズムがものすごくよく育つんですよ。

望月 無知だからこそ響いてしまうということですか。

白井 知識がないと荒唐無稽（こうとうむけい）な話を容易に信じるようになるということでしょう。いくらか知識があれば、常識的に考えて「こんなことはあり得ない」と判断できる。

望月 確かに、本質的な問題とは全く関係なく、ちょっと面白いこと、型破りなことを言って、戦っている感じに見せている口喧嘩だけには負けないみたいな人たちが、テレビに出たりとか本を出したりとか異様にちやほやされてしまうのも、そのせいかもしれません。建設的な議論ができなくなっているような状況もあるし、どうすればいいんでしょうか。

白井 政治学の世界では、デモクラシーを改善する方法がいろいろと提案されています。有名なのは「熟議デモクラシー」ですが、現実的にはまず無理でしょうね。はっきり言って、投票権、つまりは公民権ですけれども、なぜこの人たちに公民権を付与しているのか、全く説明できないような状況になっているのですから。この人々にどうやって熟議させるのか、ちょっと現実的な感じがしない。

大学人もジャーナリストも、こういうことを口にするのをはばかっています。それはある意味、反民主主義的な発言ということになるし、エリート主義的にも見られるからです。けれども明らかに権利を与えられるべきでない人たちに権利が与えられているのであれば、間違った選択をするに決まっていますよね。現に間違った選択がされ続けているということは、今日の状況を見ればはっきりしてきているわけです。

望月　一時期、盛んに言われていた「反知性主義」も、最近はあまり聞かれなくなっていますね。

白井　あれはオブラートに包んだ言い方だったわけですよ。本当は「最近、思い上がったバカが跳梁跋扈（ちょうりょうばっこ）し過ぎじゃない？　いささかまずいんじゃないの？」と言いたかった。それだと角が立つんで、反知性主義と。けれども、そういうオブラートに包んだ言い方ではもう通用しない状況になってきてしまった。

愛国主義に何を求めるのか

白井　政治的無知におけるメディアの大罪はすさまじいものがあります。まさに大阪維新の会はテレビが生んだモンスターでしょう。橋下さんがそうだし、吉村さんも相当立派なモンスターになってきた感じがします。

つまりは、能動的に情報を取りに行かない人が維新に行ってしまう。たとえば、大阪のテレビは「大阪がコロナによる死亡率が日本一高い街なんだ」と全く言わない。だから、テレビのスイッチをひねることしかしない人は「吉村さん、よう頑張ってはる」という話になってしまうわけです。自分でインターネットを使って情報収集したりする人は、「大阪のテレビはおかしくなっている」ということに気づくわけですが。

望月 橋下さんがすごく注目されるようになったのは、読売テレビの「たかじんのそこまで言って委員会」がきっかけですよね。制作会社のボーイズの相原康司社長はノンポリだけども「既得権益叩き」、つまり維新的な空気の番組を作ることにすごくたけていると言われています。彼が手掛けた番組には東京・中日新聞論説副主幹だった長谷川幸洋さんが司会をやっていたTOKYO MXの「ニュース女子」もあります。沖縄の基地問題をめぐる虚偽レポートなどで問題になりましたが、相原さん自身が何かすごく変な主義主張を持っているというよりも、東京進出や視聴率のためにやっただけなんでしょうか。

白井 維新的なるものをテレビでプロデュースした仕掛け人に何らイデオロギーがないのであれば、それは「ビジウヨ」ですよね。評論家の古谷経衡さんがよく強調することですが、実際それをやっている人たちにどれだけのいわゆる愛国的信念があるかというと、そんなものは全然ない。右翼の世界で大物だと言われている人たちでも、実は単に金のためにやっているだけだと。

その通りだと思いますが、では、なぜそれが金になるのか。そこが問題です。最も簡単な説明は、国が衰退していて世相が暗いからすがるものが欲しくて、愛国主義や排外主義、さまざまな差別にある種なぐさめを求める人口がどっと出てくる。そこの層に向けて番組や商品をつくると、喜んで見たり買ったりする。だから金になるわけですね。これは極めて凡庸な話ではあるのですが。

望月　MBSが17年に放送した「教育と愛国――教科書でいま何が起きているのか」というドキュメンタリー番組があります。ギャラクシー大賞も受賞したいわば名作ですが、ディレクターの斉加尚代さんが監督で追加取材もまじえて再構成された映画が22年5月に公開されました。

その作品は、まさに白井さんが言ったようなことを描いています。つまり、2000年代から経済がガタ落ちしていくと同時に、1996年に結成された「新しい歴史教科書をつくる会」を中心に、従来の公教育を「自虐史観」などと批判する勢力が台頭してくる。「嫌韓」も盛り上がってくる。要は、日本の経済の衰退とリンクして日本の悪かった部分を認めたくない、すばらしい国だったと言い出したんですね。あるいは2006～07年の第1次安倍政権が教育の目的にいわゆる「愛国」を盛り込む教育基本法の改正をやりましたが、それ以降、「自虐史観はおかしい、国を愛せ」といった安倍さん的な言説が非常に人気を博したというのも、その表れかもしれませんね。

そう言えば、以前に元商社マンや元銀行マンといった比較的高齢のエリート会員相手に講演をしたことがあります。一部にネトウヨチックな人たちもいて「そんな日本を悪く言ってどうすんだ」などと猛烈に反発してきました。韓国の徴用工問題などに触れたのでそれも気に食わなかったと思います。「東京新聞の販売部数は？」なんて聞いてくる人もいた。「そんな少部数で偉そうに」と何か馬鹿にしている感じでした。

確かに、彼らはずっと猛烈社員でやってきたのに日本経済は右肩下がりで、「こんなはずじゃなかった」と思っていて、だから誰かを叩くことで、自己欲求が満たされるみたいな感覚なのかもしれない。でも、愛情に飢えて育ったとか、そういう人たちではなさそうだし、単にビジウヨ的な感覚なのかもしれないし……。8年間、ネトウヨチックな総理だったことの影響もあるんじゃないですかね。黒いものを白く言いつのれば、そうなってしまうという空気感が作られてきましたから。

白井　馬齢を重ねるとはこのことだ。いい歳をしてナショナリズムによる自意識のかさ上げをしないと生きていけないというのは無惨ですね。ネトウヨの主力は高齢男性だという説が有力ですが、そういう意味では、老化現象への恐怖や不安と結び付いており、生理現象と関わっています。したがって、本当は治療方法を考えなければならないのですが、政治はこれを治さずに利用しているわけです。

民主制が成り立つ条件

白井　安倍さんを見て「愛国者だ」と思う人たちがたくさんいるのであれば、やはり耐えがたい薄っぺらさを感じますよね。私も一応、愛国心というものを重要だと思っています。そう思っているなら、安倍さんは愛国者でも何でもないと即座にわかる話じゃないですか。

望月　「教育と愛国」には民主党政権時代、自民党が野党だった頃に安倍さんが新しい歴史教科書をつくる会に呼ばれて話している様子も収録されています。日本の侵略戦争を正当化する育鵬社（いくほう）のような教科書こそが日本で教えられるべき歴史教育だとか言っている。彼の歴史認識はそもそもおかしいのですが、そういう素を野党時代は露骨に出していたんですね。

安倍政権時代には、育鵬社の歴史・公民の中学校教科書を採択する自治体の教育委員会が増えました。たとえば、2016年度から使われる歴史と公民の中学教科書の育鵬社版の占有率は、神奈川で共に38・7％、全国でも歴史6・4％、公民5・8％を占めた。でも、安倍政権が終わった21年度の教科書採択では、横浜市や大阪市など多くの自治体が他社版に切り替え、公民で前年度比9割減の4287冊（占有率0・4％）、歴史は、前年度比8割減の1万253

3冊（同1・1％）と大幅に勢力が縮小された。安倍政権が退陣し、転換は当然と思う半面、何か日和見的な情けなさも感じます。

白井　さもありなん。空気を読んで、ってことでしょう。教育委員会もそんな輩ばかり。他方、安倍さんは根本的に歴史修正主義者でしたからね。総理大臣の時には、アメリカから叱られたりしてさすがにちょっと抑えていましたが……。

望月　安倍チルドレンも、安倍氏にならえで歴史修正主義者だったりします。代表的なのは杉田水脈衆議院議員。彼女は17年の衆院選の比例中国ブロックで、比例での名簿順位のトップでした。同地域の実力者の石破茂さんは「なぜ、彼女が比例（単独）1位になるのか」とすごく疑問を呈したらしいのですが、21年でも比例の名簿順位は（単独）3位、結局当選した。やはり悪名は無名に勝るということでしょうか。

白井　これも無知という問題になるけれども、日本全国でこれだけ多くの人が自民党や維新に投票している。それは端的に言って、さまざまなレイシズムや排外主義、歴史修正主義、こういったものに賛成していることと同じなんですね。日本の有権者にはそういう自覚が全くない。だから、本当に救いがたい無知ということになるわけです。

維新も歴史修正主義が酷いし、所属する人の不祥事発生率が異常に高いでしょう。たとえば、愛知県知事の大村秀章さんに対する「リコール署名偽造事件」の中心人物二人は日本維新の会の所属で、衆議院愛知5区選挙区支部長と常滑市の市議だった。大阪・池田市の市役所の中に家庭用サウナを持ち込んでいた市長も維新の人でした。「人工透析患者なんて、殺せ！」とか「8割がたの女はハエと変わらん」とか言っていた元フジテレビアナウンサーに公認を出したのも維新です。

そうしたことに対して、有権者は知らぬ存ぜぬでは通らないんですね。けれども「維新、頑張ってるじゃん」とか「何か変えてくれそうじゃん」とか言っている。それで権力を預けたら、維新の政治家は当然その権力を使って、でき得る限りのことをしてしまう。その後で「誰も教えてくれなかったから、こんなことになるとは知らなかった」と言っても遅い。「何でも教えてもらえるわけがないでしょ？　どんだけ甘えてるの？」という話じゃないですか。

たとえば、学生もまともな政治教育をほとんど受けていません。かわいそうと言えばかわいそうです。けれども「だって、受けてないんだもん」と言ってはいけない。知らなかったとしたら知ろうとしなかったことが罪とされるのが、民主制の前提ルールであるわけです。大学での授業では、「それは習ってないから知らないのは当たり前」という発想を金輪際捨てなさい、という話をよくします。誰もが政治と社会に対して責任ある主体なのだという前提を確認しなければ、民主制は成り立つはずがないからです。この前提を共有できない人は、民主制に本来居てはいけない、居るとすれば追い出さなければならないわけです。

歴史修正主義と日本人の精神

望月　安倍さんのあとに総理になった菅義偉（すがよしひで）さんは、はっきり言ってノンポリで、歴史認識に強い関心があるわけではないでしょう。けれども、21年4月に「従軍慰安婦」という表現は不適当として、単に「慰安婦」とするのが適切と閣議決定しました。その時には、第二次大戦中の朝鮮半島から動員された労働者について、「強制連行」と一括りに表現するのも不適当として、「徴用」が適切という閣議決定もしています。これは維新の幹事長だった馬場伸幸衆議院議員の質問に対する答弁書の閣議決定ですから、いわば出来レースですよね。それを受けて、文科省が教科書会社に説明会を開いた。それで10月までに7社が従軍慰安婦や強制連行などの文言の削除や表現の変更を行ったんですね。

こういう動きに反発する教科書会社はいくつもあります。有名なのは「学び舎」の中学生向けの歴史教科書『ともに学ぶ人間の歴史』でしょう。ただし、それを採択した灘中や麻布中などが「反日極左」と攻撃されたりしているわけです。

白井　さすがに右翼の人たちも「慰安婦はいなかった」とは言えないじゃないですか。それは多くの人が見ていた周知の事実ですから。じゃあ、どこを頑張って否定したがるかと言うと「帝国陸海軍が主体となって組織的にそうしたシステムを作った」というところです。そこにいわば修正のラインを置いているわけです。

要するに彼らの心の中では、大日本帝国の軍隊は一点の曇りもなく光り輝いていなければならない。だからそんないかがわしいシステムを軍の組織として作ったなんて認められない。一部の業者が軍にくっついてきて、そういう商売を展開したんだということにしておきたい。それゆえに異常に「従軍」という言葉の削除にこだわるのでしょうね。

望月 「管理売春」という概念を理解できないんでしょうか。沖縄戦でも集団自決を軍が強要したという歴史的事実があるのに、06年度の教科書検定で文科省がそれを否定する意見を出して以来、強制性は明示されなくなっています。当時、沖縄で猛烈な反対運動が起こったので、軍が関与したことは載っているのですが。なぜここまで政府は歴史を改ざんしようとするのでしょうか。そしてなぜ、そういう動きを肯定する人たちが増えているのでしょうか。

白井 そこには現代日本人の精神の脆弱化があるのかもしれない。これだけ長い歴史があるのだから、いいこともあれば悪いこともある。汚いこともいっぱいあった。そういうことを全部踏まえたうえで現在があって、その中で我々は生きているわけです。過去には認めたくないこともいっぱいあるけれども、葛藤しながら、結局は引き受けて生きていくしかないわけじゃないですか。でも、それに耐えられないわけでしょう。

私たちの歴史は私たちを快くするために存在しているのではない、という当たり前のことがわからないし、それに耐えられない。だから、全部自分の思う通りに歴史はあったんだと事実にまつわる言葉のほうを修正する。これはある意味、文明が快適さをずっと求めていくと、人間が少しの苦痛にも耐えられなくなっていくという話と似ているかもしれません。

なぜ加害の歴史を見ないのか

望月　大阪府の公立中学校の社会科のベテラン教師で、『「慰安婦」問題を子どもにどう教えるか』（高文研、２０１７年）などの著書もある平井美津子さんという方がいます。彼女は長年、授業で原爆被爆者や中国残留孤児の証言などを取り上げるなど、リベラル派の教育者として有名だったんですね。それで18年10月、共同通信の憲法をテーマにした連載で彼女のインタビュー記事が地方紙に載った。そこには、当時はやっていなかったけれども、慰安婦問題を授業で取り上げた経験も書かれていました。

そうしたらツイッターで「こういう偏った授業は問題だ」といった批判が集まり、当時大阪市長だった（維新の）吉村さんが平井さんへの攻撃を煽るようなツイートをしたこともあって、たちまち炎上した。府議会や市議会でも問題視されて、学校や教育委員会にも抗議の電話やメールが殺到しました。結局、学校長の許可を得ずに取材を受けたということで、教育委員会は19年3月に平井さんを訓告処分にした。一応、「慰安婦に関する授業は不適切ではなかった」

という判断も示されたのですが、要は右派の猛抗議の影響で悪者扱いされてしまったわけです。

私は平井さんとは、斉加さんと共に親しくお付き合いをさせて頂いていて彼女はドイツと日本の学校教育の違いを指摘していた。ドイツは、なぜワイマールという民主的な憲法があった中で、ヒトラーのような独裁者が出てきて、隣人であるユダヤ人をあれほど殺せたのかという問題について、学び続けて発信し続けている。ところが日本は慰安婦問題を学校で学ぶことができなくなっている。つまり日本の場合、広島の原爆など被害の歴史を教えるのはいいけれども、加害の歴史を教えたがらないんですね。

その違いはどこからくるのか。平井さんは、大陸と孤島の違いじゃないかと言います。他国と地続きでいろんな人たちが入ってくるヨーロッパには「客観的に自分たちの歴史を見なきゃいけない」という空気がある。だからドイツは、積極的に加害の歴史を述べ伝えていて、日本のように「自虐史観はいかがなものか」と、ナチスを肯定するような言い方はできないんですね。

一方、日本では「大日本帝国に戻れ」みたいな議論が一部の政治家の煽動(せんどう)もあり、平気で行われています。孤島なので他国のいろんな人の存在をシビアに気にする必要がない。だから、客観的に自分たちの歴史に絶えず向き合わざるを得ないという空気もない。その違いが大きく影響しているのではないかというわけです。

また、韓国や中国には日本の加害の歴史の跡が残されているし、学校で習っている歴史認識も日本とは違います。当然ギャップが生まれて、たとえば、佐渡金山の世界遺産化反対ということが起こる。彼らにしたら「なぜ加害の歴史を見ないのか」ということなのでしょうね。

白井　ドイツ、とりわけ西ドイツはヨーロッパ大陸の中で、戦後も何とか生きていかないといけないから、ナチスを徹底的に否定し続けるしかなかったわけです。そのようなドイツの戦後処理の仕方と日本のそれが異なったのは、島国という地政学的な要因が大きいと思います。それを私の『永続敗戦論』以来の論理で説明すれば、日本は島国であることをいいことに「敗戦の否認」ということを延々とやってきたということになります。

けれども、もう一つより決定的な要因は、1回戦争に負けた日本と違って、ドイツは2回負けているという点です。ドイツも第一次大戦に負けた時には、やはり敗戦の否認をしました。「負けるはずがない、おかしい」と。それで戦間期には、たとえば、反ユダヤ主義からの「ユダヤ人が敗北させるように仕向けたんだ」というユダヤ人陰謀説が流行した。そういうものが結局、ヒトラーが出てくる土壌になります。だから「失地回復をするんだ」と言うヒトラーは喝采(かっさい)で迎えられた。そして、第二次大戦に突入した。でも、もう1回やってみてもまた負けた。つまり、2回やって2回負けたから、ドイツ人は敗戦の否認はできないんだという境地にようやくたどり着いたわけですよ。

そう考えると、じつは「日本の戦後は長い戦間期を生きている」という可能性があるんですね。

望月　21年10月の衆院選の投票率は約56％と戦後３番目の低さでした。みんな政治なんてどうでもいいのか、主権者だという自覚が全然ないのか……。

白井　ほとんど主権者と呼ぶに値しない人口のほうが、この国ではもはや圧倒的に多いですよ。政治的無知、そして歴史に関する無知も年々ひどくなる一方でしょう。政治教育の不在の問題にもつながりますが、たとえば、戦後史で一番大事なことを中学・高校で何も教えていませんから。

望月　教師が教えないため、憲法９条を知らない中・高校生が結構いますよね。特に安倍さんになってから学校の授業で現代史を避けるようになった気がします。

白井　そういう傾向はあるでしょうね。安倍政権は確実に現場を萎縮させたと思います。しかし、萎縮であるうちはまだいいのです。何を教えるべきかという問題意識はまだ生きているから。おそらくはもう次の段階に進んでいます。教える側の問題意識がすでに欠けてきている。

何が戦後史で最も重要か。それは何と言っても占領政策が転換された１９４８年以降の「逆コース」ですよ。これによって戦後の日本の国家の在り方、社会の在り方の根本が定まっていくわけですから。たとえば、朝鮮戦争が起きた50年には、警察予備隊ができてレッドパージもあって、公職追放も解除されて保守勢力が復活するわけです。じゃあ、逆コースという歴史の重要性を理解している若者はどれくらいいるのか。私の経験から言いますが、全然教わっていません。

私の場合、幸い優れた教師に歴史を習ったおかげで、わりとちゃんとした社会認識や歴史認識の基礎ができました。思い出話をすると、駿台予備校に福井紳一（しんいち）さんという日本史科現代史のエースの先生がいます。私が受けた講義の中で、福井先生は私たち世代が子どもの頃によく見た日本船舶振興会のテレビコマーシャルについて言及しました。それでこう言ったのです。「戸締まり用心、火の用心、一日一善とか言ってニコニコしているおじいさんを覚えているでしょう？　あのおじいさんはとんでもないファシストなんですよ」と(笑)。笹川良一のことですね。みんな「ええ？」となるじゃないですか。

これはすごく大事な話なんですね。なぜ超国家主義運動をやっていて巣鴨プリズンにも入れられた人物が、戦後名士に、良いことをたくさんやっている優しいおじいさんみたいになってテレビに出ているのはどういうことなんだ、と。そしてそれは、A級戦犯だった岸信介が復権して57年に総理大臣にまでなれたのかということとつながっている。これらはもちろん全部、並行している話で、まさに日本の戦後の本質はそこにあるということを私は若い頃に衝撃とともにたたき込まれたわけですよ。

一方、今の若い人たちと話してみると全然それがわかっていない。ある時代までは、この逆コースこそ日本現代史の核心だというのは、一定以上の知的階層にとっては常識だったじゃないですか。戦後、日本は民主主義になったと言われるけれども、それはじつは第二次大戦で1回国を滅ぼしたような戦前の人たちが変なふうに復権する非常に中途半端な体制になった。それがずっと国の一番の背骨部分を構成してきた。こういう認識が社会常識だったと思います。今、それがすこんと抜けていますよね。

修身の復活と大学の改革の共通点

望月　NHKの報道デスクが「記者って政府を批判しなきゃいけないんですか」と言ってくる新人が出てきたと嘆いていました。そういう新人記者の感覚は立憲の泉さんが言っている「提案型」と似ている感じがします。先にも述べましたが、日本の社会の中で、批判することがすごくネガティブに受け取られるようになっている。でも、批判からしか物事は生まれないと思うんですね。スクラップ・アンド・ビルドしていくためには徹底的に議論して批判しなければいけない。

日本にはその土壌がありません。批判的議論ができるような教育をきちんと進めてきていないからでしょう。むしろ、気がつけば安倍さんの教育基本法改正の延長で、道徳が教科になるなどいわば「個よりも公を尊べ」になってしまっている。つまり、議論よりもその場の空気を読むことが推奨されていて、批判することがはばかられているわけです。議論をする風土を作る教育が決定的に欠けている。その影響はかなり大きいと思いますね。

白井　以前から批判を避ける傾向みたいなものは問題だと言われ続けてきましたが、その傾向は近年もっとひどくなった。たぶんそれは3・11以降の現象でしょう。もっともっと臣民化していわけです。道徳の教科化は、いわば戦前の修身科目の復活であって、臣民しぐさをさらに強化しようということですね。

望月　うちの子どもの学校でも問題視されています。たとえば「おはようございます」と挨拶する時、おじぎする前に「おはようございます」と言うのか、おじぎしながら「おはようございます」と言うのか、おじぎした後で「おはようございます」と言うのか、どれが正しいでしょうかとやっているわけです。正解は「おはようございます」と言ってからおじぎするらしいのですが、本当、どうでもいいですよね、教える意味がわからない。

あるいは、小学1年生の道徳の教科書に「かぼちゃのつる」というお話が載っています。かぼちゃは隣の畑とかに迷惑かけちゃいけないよと言われている。でも、あるかぼちゃがつるを伸ばしたい、伸ばしたいとどんどん伸ばしていくんですね。隣の畑につながる道路にさしかかると、そこにやってきたトラックにひかれてつるが切れて、かぼちゃが痛い痛いと泣くといった話です。

「このお話から何がわかるかな?」と児童に答えさせたりするんですね。ただ要するに先生は、人に迷惑をかけちゃいけないとかルールを守れとか、そういう話にもっていきたいわけです。うちの息子も小1の時にこの話を習っていて、聞いたら「やり過ぎはいけないってことだよね」と言っていた。でも、伸びたいなら伸びればいいじゃないですか。これでは創造力や個性が育ちませんよね。少なくとも小1に教える話ではないでしょう。

道徳の教科書検定で、文科省から「パン屋」は「国や郷土の文化と生活に親しみ、愛着をもつという点が足りない」とNGが出て、教科書会社が「和菓子屋」に修正したという話も有名ですね。これも大きなお世話ですよ。近現代史を否定したいという感じすらして酷いと思います。

白井　中国語で日本人の蔑称として「小日本人」という言葉がありますね。まさに小日本人だけを生産しようっていうわけです。

それで文科省は「これはパンよりも和菓子にしないといけないんじゃないか」とか、そういうくだらない会議を一生懸命やっていると……。大学教育に関して言うと、数年前から厳しくなったのが大学教員の書くシラバス(授業計画)なんですね。授業内容は予定したとおりにいかないから、どこかで調整、遊びを持たせておきたい。だから、われわれ教員は最終回の授業は「まとめ」と書いておくんですよ。そこで調整する。ところがある年から「まとめ」と書いちゃいけない、いい加減なことを書くなという決まりができた。いちいち毎回の授業について具体的な内容を書かなきゃいけないとなったんですよ。22年度からは、さらに予習とか復習とか授業外学習で何時間必要なのかを書けということになっています。

望月　文科省がもっと管理を強めたいということでしょうか。

白井　シラバスを厳密にしたいんだそうですよ。本当にしゃれにならん話で、役職づきの教務主任とかは、文科省に文句を言われないように、全部の授業のシラバスをチェックしているんですよ。とんでもなく莫大なエネルギーです。望月さんは前川喜平さんと結構仲がいいでしょう。私は前川氏をある面では尊敬しているけれども、こういう政策を推し進めた事務次官ですからね。単純に肯定なんかできないですよ。実務的には、こちらとしては直してくださいと連絡が来たら、これならオッケーという文例をコピペして終わりです。要するにすべてはブルシット・ジョブです。

文科省の言い分は、いわばユーザー目線です。学生や親、学費負担者が「授業料を納めているんだからきちんと対価に見合ったものを提供してくれなければ困る」と思っているというわけです。実際、大学教員を始めた頃に驚いたことがあります。授業が始まると同時に教員が教室に来たら、うっとうしいじゃないですか。私は学生時代にそう感じていた。だから3分くらい遅れて教室に入るようにしていた。そうしたら、学生の期末のアンケートに「この人はいつも遅れてきてけしからん」と書かれてしまった。1回90分で授業料を払っているんだからおかしいじゃないかというのが近年の学生の感覚らしい。

望月　親目線で点数化して、落ち度があるかないかで分けて補助金とかを削りたいんでしょうか。

白井　それもあるでしょう。ただ、国立大学に関しては運営費をどんどん減らしていますが、いろんな文教予算を単純に減らしているわけではありません。要は傾斜配分をやっているんですね。つまり、「選択と集中」という話です。頑張っているところ、競争力を高めているところに多く配分しますよと。じゃあ、何をもって頑張っているということになるのか。文科省はさまざまな改革をやっていることがその証拠になると考えている。だから、大学が異常に頻繁（ひんぱん）にカリキュラム改革をやるわけです。

でも、カリキュラム改変はむちゃくちゃ大変なんですよ。いろいろ時間割が変わるし、旧カリキュラムと新カリキュラムが並行する時期もあってすごくややこしくなる。授業負担は増えるし、教室の配分をはじめ細かい調整が山のように必要になってくるんですね。結局、それが何をもたらすかと言ったら教職員の疲弊（ひへい）であり、教育と研究の質低下です。本来業務であるところの教育や研究に注ぎ込むべきエネルギーが膨大な事務作業や会議に費やされるわけですから。

要するに、カリキュラムなんてなるべく変えないほうがいいんです。ルーティン作業、慣習化の素晴らしいところは余計なことに時間と注意力を注がなくていいことでしょう。習慣化していないことが多ければ多いほど、それに対して注意を向けなければならないから確実に頭のエネルギーを取られます。だから、そういう改革を頻繁にやっていたら肝心の研究力や教育力が低下していくのは当たり前なんですね。文科省が進めてきた改革は、傾向的に大学の力を破壊するためにやってきたとしか思えません。現に、さまざまな統計が示すように、日本の大学の研究力は確実に落ちてきています。

望月　でも、何かメリットもあるんじゃないですか。

白井　ないです。もちろん大学は自己改革の必要性を感じたら自ら変わればよい。けれども、いままで役所が命じてきた改革は、単に文科官僚がやってる感を出すためのものです。それから、改革にかこつけて大学を彼らの天下り植民地化することに役立ちます。改革ごっこは、財務官僚に対して「文科省も頑張っている」というのを見せるためのものなんでしょうね。

長期政権で進んだ官僚の退廃

白井　財務官僚の罪は非常に重いですよね。民主党が政権を取った時に事務次官会議をやめたりしましたが、本当は財務省主計局を徹底改革すべき、というか廃止すべきでした。

21年10月、放漫財政、バラマキ政策を批判する財務省の矢野康治事務次官の論稿が月刊誌「文藝春秋」に出た。けれども、政府は史上最大の財政支出をしていて、書いていることとやっていることが違うじゃないかと批判を浴びました。今の高級官僚どもの退廃ぶりを見せつけられる気がしましたね。しかも、この論文の滑稽なところは、矢野氏のやたらに国士ぶった書きぶりです。けれども、財政破綻が心配で憂国の念に駆られた高級官僚が、東京五輪の開会式の日に国立競技場の前で腹を切ったという話は聞かない。あれこそ最悪の無駄遣いだったのにね。

望月　かつては自分の言いたいこと言って辞めていく信念を持った官僚がいた。でも、今はみんな辞めませんね。矢野事務次官も辞表を叩きつけて辞めたら、まだかっこいいと思えるのですが。

やはり安倍・菅政権で、官僚は「結局、飛ばされるから、まともなことを言うだけ損」になったんでしょうね。「頬かむりをして適当に取り繕っておけ」と。疑問に思っているみたいな声は聞くけれども、結果として基幹統計の改ざんとか、がんがんやってしまっている。想像以上に、内閣人事局を作ってそれを私物化していった長期政権の罪は大きいと思います。

昔は、いったん異動になっても首相が代わればすぐに戻って来られるという、いわば健全さがありました。あるいは、たとえば小泉政権の時、課長だった前川喜平さんはブログで反小泉みたいなことも書いていたけれども、全然飛ばされなかった。それが安倍長期政権では、即刻退任しています。そんな左遷、左遷を見せつけられて、官僚の気持ちが萎えてきても仕方がない面があると思います。

ただ、同じ官僚でも省庁によって質の違いはあると思います。取材していると、文科省にはまだリベラルな雰囲気を感じる。だからでしょう、加計問題でもいろんな内部メモが出てきました。一方、財務省はピラミッド感がすごくて、軍隊みたいに統制が利いています。たとえば、森友問題の佐川宣寿理財局長なんて、理財局のいわば「天皇」だった。だから、いわゆる内部告発がほとんどなかったわけです。その意味でも赤木俊夫さんが残した「赤木ファイル」は本当に貴重なんですね。

白井 ただ、官僚に対しては「したたかさ」を思うこともあります。たとえば、自民党の総裁選の時に河野太郎衆院議員を叩くために経産省とかがいろいろリークしたじゃないですか。菅政権の時の東北新社、NTTの接待問題でも総務省とかがどんどんリークしましたよね。

望月 いつでも政治家を裏切れるネタを持っているという強みがあることはあると思います。ただ、それは野党には行かなくて「週刊文春」に行く（笑）。総裁選の時、河野さんはワクチン担当相兼規制改革担当相でした。その河野さんが資源エネルギー庁の山下隆一次長、小澤典明統括調整官とのオンライン会議の場でパワハラをした、山下さんと小澤さんを怒鳴りつける音声を入手したと文春が報じたわけです。河野さんは「日本語わかる奴出せよ」とか「はい、次」「はい、ダメ」とか、官僚たちの説明を遮る威圧的な発言を連発していたと。

その時期、私は河野陣営だった小泉進次郎衆院議員に「内閣人事局ができて、官僚が言うべきことを言えなくなって、何か言うと飛ばされるようになっている。この状況をどう思いますか」と、たまたまですが質問した。そうしたら彼がいきなり愚痴り始めたんですね。「官僚っていろいろいますよね。会議の時にいるべきじゃない人をその場に呼んで、メモさせたり録音させたり、それって信頼できますか」と。河野さんのパワハラ音声の実状は、官僚が会議に電力会社を同席させてメモを取らせていたという驚くべき事実があったわけです。つまり原発政策に関しては、脱原発派の政治家と電力会社をバックにした推進派の官僚とのガチンコの対決があるんですよね。

白井 安倍体制の本質は官僚による極めて恣意的、専制的な政治だったと思います。官邸主導とか言われていたけれども、安倍さんに主導できるわけがない。それこそ経産官僚の今井尚哉秘書官兼補佐官におんぶにだっこだったわけでしょう。

望月 憲法論議は別として、本当に経済政策とか全部お任せだったとも聞きます。

白井 憲法のほうは日本会議にお任せですね。菅さんに代わってワクチン接種だけはがんがんやったけれども、総合的な感染対策の立て直しはできなかった。つまり、厚労省の医系技官による体制に対して何もできなかったわけですよね。そして岸田さんも同じ轍を踏んでいます。結局、政治家は官僚組織に負けっぱなしじゃないかと思いますね。

望月　官僚は政治家を相当バカにしているとは思う。だから、うまく使うにはどうすればいいかと考えているのでしょう。

それにしても公文書を改ざんしたり国交省の基幹統計を4兆円もいじったり、やることが大胆ですよね。立憲や共産がずっと突っ込んでいましたが、結局、安倍政権で株がいくら高くなっても、株とは無関係な庶民の実質賃金はじわじわ低下しているわけです。でも、政治家が大風呂敷を広げちゃうものだから、「アベノミクス」の効果を何とか出せというのでつじつま合わせの「改ざん」を官僚がやらされている。

白井　思うに、結局のところ日本の民主制を機能不全にしているのは官僚なのですよ。菅政権の時に、今の話にあったように、水面下ではエネルギー政策をめぐる激しい対立があったわけですよね。そのように極めて重要な国の方向性の根幹に関わる争点は、本来公的な場で十分な議論がなされ、選挙で有権者に選択を問うべきものです。しかし現実には、見えない密室でごく少数の人間が綱引きをやって決めている。宮廷内の権力闘争ですべてが決まる国家と何も変わりません。つまりは、日本の官僚機構は、民主主義の敵です。

ない」とかいろいろ批判されています。彼には何か言われるとすぐ引っ込めてしまうようなところがある。つまり、岸田政権は何もやれていない分、デタラメもやっていないという言い方もできます。

「安倍さんはよかった」と言うのは誰か

望月　岸田さんの「新しい資本主義」に対しては「具体策が何もない」とか「本質が見えていない」とかいろいろ批判されています。

白井　自民党全体として考えた場合、安倍政権の何がよかったかと言うと、いわゆる岩盤支持層があるということが非常にありがたかったんですね。やはり菅さんや岸田さんでは、その岩盤支持層は少し離れて、あまり熱心に支持してくれない。むしろ、右っぷりが足りないというので、いわば不満分子化するわけですよ。そうなると党全体として勢いが出ない。だから「安倍さんはよかった」と思う人が大勢いてもおかしくないでしょう。

望月　株価が下がってきたら、経営者とかも「安倍さんはよかった」とか平気で言いますよね。安倍政権時代、大企業の内部留保は順調に増え続けて約500兆円、株主の配当金も約30兆円に達しました。でも、GDPは先進国の中で唯一横ばいで、実質賃金も下がっています。金融保険業を除く法人企業統計調査によると、18年度の企業の経常利益は過去最高を記録し、20年前より63兆円も増え、株主への配当は22兆円増、企業の手元の現預金は90兆円積み上がっていますが、働き手に回るべき人件費はわずか4兆円だけ、つまり、増えているお金が全然労働市場に回っていない状況なわけです。

経営者や株を持っている人からすると、「安倍さんはよかった」と言えるのかもしれませんが、労働者には「よかった」という生活実感は全くない。しかも最近は物価高が始まって、賃金上昇が追いついていません。こうしたことについて市民の経済的な不満はすごいものがあると思うけれども、労働者を束ねる連合の芳野さんには本気で経営者側と闘う空気はない。逆に言うと、労働者の怒りというのをもっとうまく引っ張れれば、「安倍さんはよかった」なんていう戯言は、もっと小さくなるはずです。

白井 普通に考えれば、こんなにふざけたことばかりやっている自民党政権がもつわけがないんですよね。選挙で負けて下野させられて当然でしょう。でも、そうはなっていない。それはどうしてかということなのですが、21年12月に「日経ビジネス」に米ダートマス大学の政治学部教授の堀内勇作さんが寄稿した調査結果が話題になりました。

どういう調査かと言うと、架空の「政党1」と「政党2」の原発・エネルギー、外交・安全保障、多様性・共生社会、コロナ対策、経済対策という五つの分野の政策を比較してどちらを支持するか選んでもらうというものです。ただし、具体的な政策のところには自民党や公明党、立憲、共産党など実在する政党の政策を分野ごとにバラバラにして回答者ごとにランダムに入れていく。そしてこれを多数回繰り返す。その狙いは、政党名を抜きにして、純粋にどんな政策が支持されているのかを明らかにする、ということです。結果わかったのは、自民党の政策が飛びぬけて支持された分野は全然なくて、特に多様性・共生社会はビリでした。要は「自民党の政策はそんなに支持されていない」ということがわかったわけです。

さらにもう一つ、政党1の代わりに自民党、政党2の代わりに他の政党名をランダムに表示して同じ調査をしています。つまり、回答者に「自民党の政策ですよ」と提示される政策が本当は共産党の政策だったりする。そうしたら、どんな政策でも、自民党の政策として見せられると支持率が大きく高まるということがわかったんですね。

この調査結果から言えることは二つあって、一つは、先の政治的無知の話と関連しますが、有権者はほとんど政党の打ち出す政策というものを見ていないということ。選挙の時に政策なんかで支持政党や候補者を選んでいないんですね。もう一つは、単に「自民党だから」という理由で自民党を支持していること。たとえば、この調査の外交・安全保障の分野で「日米安保体制の廃止」という共産党の政策の支持は著しく低かった。それですら自民党の政策として提示をされた途端、どちらかと言うと支持多数になってしまったという。これは驚くべきことで、もはや自民党はほとんど信仰の対象と言っていいくらいです。

主体性も思考もなき「優等生競争」

望月　２００６～07年の第一次安倍政権の時、唯一成し遂げたと言われているのが教育基本法の改正でした。個の尊重よりも公の利益を重視して、日本社会を個人主義ではなく、明治時代のような国体主義的なものに戻したいという意志が見えました。夫婦別姓を認めないことにも通じていると思います。自民党政調会長の高市早苗さんはじめ、安倍さん側が言っているのは、夫婦別姓を認めた瞬間、１８９８年、明治時代から始まった夫婦同氏制によって家父長制のもととなる「家制度」が崩壊してしまう。だから夫婦同姓のまま、家族単位で社会を考えるのだと言っている。けれど、世界のどの国も夫婦別姓で家族が崩壊しているわけではない。世界の流れは個人の尊重、個性をより重視していかなければいけないという方向です。安倍さんが会長を務めた清和政策研究会は自民党の最大派閥なので、その声が「保守代表」のように聞こえますが、やろうとしているのは単に国体主義がはびこっていた明治時代に戻れ、ということですよね。

こういう動きを見ていると、白井さんが言うように「国体主義的な空気に慣らされてきてしまった日本社会」という要因が確かにあると思います。一方で現象面を見ると、たとえば、女性が「#MeToo」で声を上げている。ＬＧＢＴＱの人たちも社会での生きづらさや苦しみに声を上げるようになって、渋谷区はじめ、自治体単位では同性婚を認める条例も次々にできている。かつてに比べれば、いろんなことが進み始めています。

#MeTooや#WeTooはじめ大きな世界のうねりは日本社会にも確かに来ていて、国体主義を喚起しようとしている高市さん的な流れとは違う方向に行こうとしているとも感じるのですが。

白井　安倍さんが教育基本法を変えて、個人よりもいわゆる公共のほうを突出させたという評価を左派、リベラルはしますね。けれども法律の文言が変わったことが、教育現場にどれくらいの影響を及ぼしたのか。影響があったように見えるとしても、それは教育基本法が変わったからではないと思う。教育現場では、その前から空気を読む体質みたいなものがより厳しく、ひどくなっていた。いま話題のブラック校則問題などは、その一端ですね。教員はブルシット・ジョブの大量増殖に苦しめられ、子どもたちは空気の支配に苦しみ、意識調査の報告を見れば、日本の若者は世界一不幸であるとわかります。学校教育全体が深く閉塞しています。教育基本法の改正がこうした荒廃（こうはい）を直接にもたらしたとは思えないんですね。

安倍さん及び安倍さんみたいな人たちが本当にやりたかったのは教育基本法の改正だけではなくて、戦後の教育基本法の全廃と教育勅語の復活でしょうね。でも、そんなことは現実にはできるわけがない。当然、文科官僚などの抵抗もあるし、さすがに露骨なことは書けなくて、

「やっぱり公を考えるのも大事だよね」みたいな、誰もあんまり反対できないようなところへ落ち着いたわけです。

そもそも現場の教師が普段から教育基本法をどれだけ意識しているのか。ほとんど意識する機会はないと思う。結局、現場でどれだけの影響があるかと言ったら、それ自体には大した影響はないでしょう。

さらに言えば、高市さんとか、ある種の戦前回帰を表層的にやっているけれども、彼ら彼女らの戦前イメージそのものがいわばフェイクです。彼、彼女らは戦前の日本に範とすべきものがあると学びそう確信して、それを真剣に実践するような生き方をしているのか。全くしていないと思います。

あるいは、「立ち返るべき日本の伝統というものがあって、それを戦後は過度に否定してきている。それはよくないことであって、立ち返るべき伝統をもっとちゃんと強調しなきゃいけないんだ」という発想をするのであれば、日本の歴史全体から見るべきで、明治から敗戦までの日本というごく一部に回帰する必要は全くない。伝統というのはより広い意味で考えられるものです。だから「夫婦別姓はいけないんだ」と言っている人たちにしても、せいぜい明治時代にこだわっているだけで、その意味では彼らの伝統主義は全くのフェイクに過ぎないわけです。そういう伝統主義みたいなものは、やはりフェイクであるだけに空回りをしています。

望月さんはさっき、今の世界の趨勢はどちらかと言うと個人主義的だし、ジェンダーの問題でも平等化、マイノリティの諸権利を認めていこうという方向で、そういう価値観が日本にもどんどん入ってきている、というお話をされた。それが良い状況につながるのかと言うと、じつは私は全くそう思っていません。

今のダイバーシティとかSDGsとか、そういうのは立派な理念で、標語、スローガンになっています。ただし日本では、外からやってきた立派な理念は、常によくわからないまま「それは偉いんだ」という話になるだけなんですね。つまり、それを受け止めて消化する、あるいは拒絶するという場合もあるはずですが、その主体が全くない。常にその繰り返しです。

要するに、そこには主体性もなければ思考もなくて、だから全部「優等生競争」になってしまうわけです。「こういうのが今、世界では新しいことなんです、正しいのです」というのが出てくると、「これからは何とかだ」と大騒ぎする。そして「皆さん、これは正しいんですよ、大事なんですよ、わかりましたか」と聞かれたら、「はい、わかりました。これが大事なんですね」と何の屈託もなく答える。

それは敗戦時、昨日まで「天皇陛下のために死ぬのが日本人だ。陛下のために死ねるのは、本当に幸せなことだ」と言っていた学校の教師たちが、突然「民主主義だ」と言い出した光景と全く変わらないと思います。何の主体性もないところで、結構なスローガンだけを振り回しても「日本人の病」をますます持続させるだけだ、というのが私の見方なんですね。

ジェンダー問題への「若者の怒り」

望月 SDGs、とりわけ気候変動については海外のほうが日本以上に危機感を持っていて、確かに向き合い方が全然違うと思います。ただしジェンダー、特に#MeTooムーブメント的な動きに関しては、現場を取材していると、珍しく日本の中からうねりが出てきたと感じます。

具体的には、#MeToo、#WeTooのムーブメントは2017年10月にニューヨーク・タイムズの記者2人が、ハーヴェイ・ワインスタインという有名な映画プロデューサーの長年に及ぶセクシュアルハラスメントを、女優ら30人ほどの告発を集めて大きなスクープ記事にしたことがきっかけです。それで女優のアリッサ・ミラノが「Me tooと声を上げよう」とツイッターで発信して、アメリカだけでなく世界中で火が付きました。

一方、日本で#MeTooムーブメントの火付け役と言われているジャーナリストの伊藤詩織さんがTBSテレビの政治部記者、番組プロデューサーだった山口敬之(のりゆき)さんの準強姦（現・準強制性交等罪）容疑で、警察に被害届を出したのが15年4月のこと。しかし不自然な逮捕令状の取り消しなどがあって、その後不起訴になった。だから17年5月に検察審査会に不服申し立てをして、ほとんど前例のない性犯罪被害者による「顔出し会見」を行ったわけです。つまり、

#WeTooムーブメントが起こる5カ月前に、日本では#MeToo的な動きがあったということなんですね。
　性犯罪被害者が訴えようとしても、すごく被害届を出しづらいし、なかなか被害届を受けてもらえないという泣き寝入りのケースがかなり多い。しかも、男性の刑事が多く、被害者に配慮した捜査もされず、起訴される確率はかなり低い。詩織さんは、被害を訴えるということ以上に、そういうこれまでの刑法や警察の捜査のありよう、検察の判断に対して問題意識を持って表に出てきたわけです。

　ただ当初のメディア側の反応は「何でそんなふうに訴えることができるんですか」というような質問がすごく多かった。私自身もそうで、純粋な驚きというか、はっきり言って「型破りな告発」と感じました。というのは、山口敬之という人物が安倍さんに最も近いジャーナリストの一人として有名だったからです。テレビにも出ていて「田﨑史郎氏の後任」などと言われていた。そんな時の権力者側と密接に絡む人間から被害を受けた、逮捕令状が取り消されたのはおかしいと、顔や名前を出して告発したわけです。やはり驚きでしたね。

　詩織さんの顔出し会見をきっかけに、現場で取材していても雪崩を打ったように女性、中には男性もいるし、ＬＧＢＴＱの人たちも含めて、セクハラやパワハラの告発が増えていきました。そのうねりがその後の世界的な#WeTooムーブメントと重なったわけです。それ以来、日本ではいろんな人がジェンダーに関して声を上げるようになりました。たとえば、「週刊SPA!」の「ヤレる女子大学生RANKING」への抗議活動を行った山本和奈さんが代表理事を務める学生団体のVOICE UP JAPANは、セクハラやメディアの問題などを積極的に取り上げています。またフラワーデモなど、全国各地で自分の体験を語り合って痛みを共有するという市民団体の動きも広がっています。

日本は非常に同調圧力が強いと言われますが、その殻を詩織さんが打ち破ったおかげで、問題意識が広がり根付いてきている。それでも、たとえば刑法改正のハードルが高くて、海外では罰せられる「不同意性交」の法律が日本にはないなど、まだまだ解決すべき問題はたくさんあります。ただし、じわじわと地殻変動のように動いてきている、人々が声を上げることをもう止めることはできない、というのが私の取材での実感です。それは日本の社会が自ら少しずつ変わってきているという前向きな兆候ではないでしょうか。

東京オリンピック・パラリンピックの組織委員会の会長だった森喜朗（よしろう）さんの21年2月の女性蔑視発言にしても、ちょっと昔だったら「神の国と言い出すおじさんだから、相変わらずだね」と、上の世代はもちろん、私たち世代でも聞き流していたかもしれない。私自身、「女性は発言時間が長い」と聞いた時には「相変わらず森さんらしいな」という程度の受け止めでした。けれども、特に10代、20代の学生や企業家たちが厳しく反応した。彼・彼女らを取材すると、何となく謝って会長を続けるという従来の「なんちゃって」「まあ、まあ」で済ますのではなく、きちんと責任を取って辞めさせないといけないと本当に怒っていた。しかも、森さん個人に対してというよりも、あの発言が出た時に笑っていた、Ｚｏｏｍも含めて会議に参加していた臨時「評議員会」の男性陣、そういう発言が当然視されてしまう日本社会の空気自体に怒っていました。

私たちより一回りも二回りも若い世代が、そういうことに対しモヤモヤ感を持っていて、この状況を変えたいという思いが充満している。特に２０１７年以降、現場で取材しているとそう感じます。

白井　ジェンダーの問題に取り組んでいる若い人たちは反自民党なんですか?

望月　一概にそうとは言えません。ただ、政治に対する問題意識は高い。たとえばVOICE UP JAPANは、右とか左とか関係なく、自分たちの問題意識で政治的な活動をしています。

一方で、選挙のたびに投票率の低さが話題になりますが、特に10代、20代の投票率が低い。21年10月の衆議院選挙の投票率は全体で約56%と戦後3番目の低さで、10代は約43%、20代は約37%でした。

若者の多くが主体的に政治に関わらないのは、自分たちが主権者であり、投票したら政策に影響を与え、自分たちが住みたい社会に政治を変えられるということを実感できていないからだと思います。目の当たりにするのは、自民党が高齢者層向けの政策や組織投票をしてくれる集団に向けて政策を決めているという、自分たちとの関係を実感できない現在の政治です。それでは若者が政治から離れてしまって当然でしょう。

だから、たとえば衆院選で言えば、立候補できる年齢が25歳以上とか小選挙区の供託金300万円といったハードルがなくなって、自分たちと等身大の人が立候補して、若者向けの政策をアピールするようになれば、もっと関心が高まるはずです。同じ世代の声が反映されているか、期待がもてるのか、若者は見ていると思います。

こういう問題意識も含めて、全国的な流れではないですが、政治に強く関心を持つ10代、20代は増えてきているとは感じます。まだ投票率には表れていない一部の層ではあるけれども、NO YOUTH NO JAPAN代表の能條(のうじょう)桃子さんはじめ、育ってきているように見えますね。

白井　もちろん、突出した若者たちはいるのだろうと思います。それは素晴らしいことです。しかし、これは日頃大学生を見ている現場からの実感ですが、平均点の下落はまだ底を打ったとは言えない。世論調査の結果は、若年層は自民党支持が多いとはっきり告げているし、これは実感と一致します。

政治に関心がなく知識のない10代、20代は選挙に参加しないほうがいい、森達也さんがそう言って非難を受けたのが6年前のことでした。21年の衆院選の結果などを受けて、森さんの主張はやっぱりこれは正論だと思わざるを得ないです。これは別に若年層に限った話ではありませんが。

確かに若年層一般はリベラルな価値観に流れている。けれども支持政党を訊かれたり選挙になると、自民党に入れる。それこそ山口敬之氏のレイプ疑惑はその最たるものだし、森さんの問題視された発言もそうですが、これらは「自民党支配」のなかで起きていることです。そこにある強烈にミソジニック(女性蔑視)な価値観は、まさに自民党的な日本を支配しているものであって、これらの事件は構造的な問題の表れの一端なわけです。だから、個別的な事件で「これはひどい」と感じたら「この国の権力構造そのものがゆがんでいる」というところへ、リベラルな価値観を持つならば問題意識は行かざるを得ないと思うのですが、現実にはそうなっていない。ですから、どうもこの一般化しつつあるリベラルな価値観なるものに、どれほどの実質があるんだろうと懐疑的になるのです。

望月 中国の若者と比べると、日本の若者はすごく将来に対してネガティブマインドだと言われています。たまに大学の授業に呼ばれて、学生たちと話す機会がありますが、みんな「せめて社会や政治の状況が今より悪くならない程度でいてほしい」という感覚がある。それを聞くと、いかにもネガティブと感じます。だから政権交代にポジティブではない。今より悪化しない程度なら、このまま自民党のほうがいいんじゃないかとなっている。つまり、大きな改革をして成長が見込めるのかということに対して希望を持てていないわけです。そういう若者がやはり多いとは思いますね。

「男女平等」は達成できるのか

望月　先日、フリーアナウンサーの長野智子さんに聞いた話なのですが、伊藤忠の石井敬太社長は「私の時代には商社が採用する総合職は9割9分、男性だった。これからはその男女の比率を半々にする」と言っているそうです。かつては、海外の商談の場に女性を出すと「私たちを見下しているのか」などと言って、商談に応じない国もあって、基本的には商社に女性は向かないとされていた。だから、商社には女性の一般職はたくさんいるけれども、総合職の女性はほとんどいないわけです。

ところが今は「Femtech（フェムテック）」など、「こんなものがあったらいいな」という女性のアイデアや企画がすごく重要になっている。女性の感性を活用しないと新たな市場が生まれない。だから商社が生き残っていくためには、女性の総合職を急いで採用しないといけなくなっている、という話なんですね。

白井　学歴、学力を基準にして採用していくと、自然と半々になるどころか、むしろ女性のほうが多くなってくるでしょう。それこそ医学部入試の「男に下駄はかせた」問題とか都立高校や関西の私立名門校の男女定員枠の問題とかを見れば明らかなように、イコールコンディションで学力勝負をすると、たいがい女性のほうが成績がいい。

そこには二つの側面があるのではないか。一つは、そもそもそういうものだから、いろんなものが男有利に作られてきた。つまり、無理やりシステムのほうで女性が伸びすぎないように抑圧してきたという構造的な問題ですね。もう一つは、いま男たちが衰退している、元気がないという問題です。教育現場で見ているとそう感じますね。

望月　男性に元気がないというのはよく聞く話ですが、かつての「モーレツ社員」や「24時間働けますか」という右肩上がりの時代は、とにかく男性は会社のために身をささげた。家庭も妻に丸投げでOKだった。だからパワフルに見えたんだと思います。しかし今は、まやかしのアベノミクスではダメだったということでしょうが、先進国の中で日本のGDPは相対的に下がっていて、そもそも経済成長できるのかという話にまでなっている。やはり学生のマインドにも経済は強く影響するのでしょうね。

男性はいろんな意味でずっとプレッシャーを感じてきたと思います。モーレツ社員はその典型です。でも今、私より一回りぐらい若いパパたちを見ていると、プライベートを大切にする人が増えてきて、学校の授業参観や育児など、これまでジェンダーで区分けされていた領域で「もっと自分たちが関わりたい」と思っているし、実際にいろいろやっています。つまり価値観がすごく多様化しているし、かつてのような男の生き方はこっち、女性はこっちみたいなことがなくなってきているとは思うんですね。

一方で、こうした話と裏表の関係かどうかわからないけれども、最近の「巻き込み系」の事件を見ているとすべて男性の犯行ですよね。

白井　大いに関係あると思いますね。日本に限らず、アメリカで機関銃を乱射するのも男です。今の時代、男がどういうふうに生きていくべきなのかみたいなロールモデルを見つけることが難しくなっていることも影響しているでしょう。昔は、男は男らしくしていればいいとか言っていたけれども、「男らしく」という言葉自体がもはやタブーのようになっているわけですから。

望月　私の息子は小学2年生ですが、たとえば、有島武郎（ありしまたけお）の童話『一房の葡萄』を読んでいて、本の中で「女の癖（くせ）に」という表記が出てくると、「こういう差別はダメだよね」と言ったりします。公立の小学校なので別に特別な教育を受けているわけではないけれども、そういう感覚をもう子どもたちは普通に持っています。

息子に限らず、若い人たちと話していると、一部の高齢者には理解できないような価値観の多様性を感じるし、既存のジェンダーの規範とか、いわば常識の枠組みが変わってきていることをひしひしと感じますね。それはこれからの一つの希望だと思う。ただ同時に、先ほど言ったような若者のネガティブマインドはすごく引っかかりますが。

白井　はい、それも元気のなさですよね。「今より悪くならない程度でいってほしい」って、このままいけばもっと悪くなるしかないことにいい加減気づけよ、という話なんですが。

男らしさ、女らしさの議論に関して言うと、私は懐疑的なところがある。もちろん、男女はできるだけ平等になっていかなければいけないと思っているし、それこそ性犯罪のもみ消しなどはとんでもない、あってはならないことです。その一方で、男らしさ、女らしさみたいなものが完全になくなる世界が来るのだろうかといったら、たぶん来ないと思うし、これは微妙な論点を含むので言い方が難しいのですが、それが望ましいとも思いません。

今私が違和感を感じるのは、男女の平等化の議論と感情やコミュニケーションの劣化が、同時に進んでいるというか、両者がともすれば結合して進行しているように思われることです。たとえば、先ほど話に出た不同意性交が犯罪化された場合、「同意が必要なんだね」となって「じゃあ、同意をどうやって証明するんだ?」となる。普段から同意書を持ち歩いて、文書で同意をもらっておかないと困るからと、ベッドに入る前にサインしてもらうのか。それはコミュニケーションの劣化だと思います。

性愛と暴力というものには境界線をはっきり引けないところがあります。もちろん、純然たる性暴力はありますが、よくわからないあわいのような境界線もある。人間の生活も人間の関係も、本来そういう微妙なところで持続されてきたはずですね。それを全部明文化して、契約書のように証拠を残さなければいけないとやっていった時に果たして何が起こるのか。それに対して「そういう人間関係は気持ちが悪い、嫌だ」という反発が起きてくるのは、私には当然のことと思われます。

不同意性交罪が日本にない理由

望月　不同意性交の法制化に取り組んでいる弁護団や被害者団体が話すのは、やはり海外の例です。たとえばイギリスの教育現場では「Do you want coffee or tea?（コーヒーか紅茶はいかがですか）」と聞くのと同じように、相手に対して性行為に関する同意を取りつけなければいけないんだよ、と教えている。日本もそうしたほうがいいというわけです。

またアフリカの一部の国では、小さい頃から「自分の体の危険なエリア」について教えるそうです。幼児や小学生がいたずらされることがあるので、「このエリアを自分ではない他人が触ってきたら赤信号だよ。もしそんなことがあったら、必ず親や周りに伝えるんだよ」と教えているそうです。要は、自分の体は守られていなければいけないもので、他人がそれに触れてくることは決していいことではない、ということを子どもの頃からきちんと教えているんですね。

幼少時にいきなり闇雲に体にタッチされたり痴漢に遭ったりすると、一瞬、何が起きているのか、パニックになってわからないということがあります。でも、そういう意識を小さい頃から持っていると、他人から加害行為をされた時に限らず、性行為も含めて、これは性暴力に当たるんだとちゃんと認識できるわけです。

欧米では、こうした教育が行われているせいもあって、性行為は相手の気持ちを「どうですか」と一つひとつ確かめたうえでするものだということを、すごく徹底しています。男性の側も女性の側もそれを全く常識として受け止めている。だから不同意性交罪もちゃんとあるわけです。

さて、日本の社会はどうなのか。男女共同参画などの特命担当大臣を務めている野田聖子さんも言っていたのですが、自民党の議員の中には「女房と性行為をするのに、いちいち同意なんていらんだろ。だって夫婦だぜ」という人がいる。それは今の時代の価値観、世界の常識からするとあり得ないと思います。

実は、女性の中にも世代間ギャップがあります。人権派の著名な女性弁護士の50代の知り合いの中にも「え？　夫婦の間で私の了解がいるの？」と驚く人がいると聞きました。「夫に言われたら、それはもう体を差し出すしかないじゃないですか」という受け止め方が、ちょっと衝撃なのですが、いまだにあるわけです。つまり、日本ではまだ「嫌よ嫌よも好きのうち」みたいな変な理屈が通用しかねない。それは「性行為はまず同意を求めるもの」という教育も常識も行き渡っていないからでしょうね。

今、法務省の法制審議会では刑法改正で性犯罪をどうするかという議論になっています。参加者によると、一応メンバー全員の思いとしては「不同意性交罪は必要だよね」となっていると聞きました。ただ、白井さんが言ったように「じゃあ、どうすると同意で、どうしないと不同意なのか」といった具体的な内容になると、なかなか議論が進まないそうです。

「お茶飲む？ コーヒー飲む？」と聞く感覚と同じように、性行為に関して同意が必要ということが社会的に常識化していない日本社会の中で、海外と同じように不同意性交罪を作ろうというのは、結構難しい話なんですね。刑法は、社会の中で当然視されていることを前提として法律が作られていくという側面がある。だから時間がかかるという話だというのですが。

詩織さんの代理人でもある角田(つのだ)由紀子弁護士、彼女は性犯罪系の大家とされる弁護士ですが、会見でも「不同意性交罪をどう作るかは、まだまだ時間がかかる。刑法は相手を時に拘束し、刑罰を与えるもの。それゆえ、密室の中での犯罪をどう裁くのかということについては慎重な議論が必要で、非常に難しい」という表現をされていました。一方で、詩織さんや同じように性被害を告発した人、運動に関わっている人たちは、「時間がかかるって、なら一体、いつまで私たちは待てばいいんですか。双方の同意が必要だってことは、もう十分、常識じゃないですか」と言うわけです。世代の違いに加えて、専門家と当事者の常識の捉え方、時間の捉え方の違いもあるんですね。

日本の性教育自体の遅れという問題もあります。セックスについてきちんと学校で教えるべきだということに対して、自民党の議員の中には、まだ「そんなものを教えるのは不道徳だ」という意見があります。そういうことも含めて、具体的に不同意性交罪を作るというところまで、なかなか進まないのかなとは思いますね。

白井　誤解が生じないよう強調しておきたいのですが、相手の同意を取りつけるというのは、当たり前のことですよね。だから明らかに同意がないケースを犯罪化して、処罰すべきなのは当然のことだと思います。問題は、同意が形成されるとはどういうことなのか、それを理解して感情のやり取りの仕方が身に着くというのは、文化的存在としての人間の条件だと思う。どうやってそれを教えようかということが問題なんでしょうけれど、それが伝わらないようになってきている、あるいはそれこそ文書化された意思表示のほかに方法がなくなっているのだとすれば、それは人間性の危機だと思います。

「性がおかしくなっている」事例として、ＡＶの真似をする人が多くて「痛いだけで迷惑だからやめてくれ」という話がよくありますよね。これに関するありがちな議論は「そうなってしまうのは性教育みたいなものがタブーになっているからで、学校でちゃんと教えたらどうか」

といったものです。それで保守派が反発する。「学校でそんなことを教えるなんて不道徳だ」と。「いや、ちゃんと教えないから被害者が出る、傷ついている人が現にいるんだ」という形で論争が展開するわけです。私はこうした論争を見ていて、何か変だなと思うんですね。

エロビデオを見てそれを現実と取り違える、「これは演技だから」という当たり前のことがわからない人がいるというのが、まずおかしい。しかし、それに対して「だから、学校でこうやってこうしなさいと教えなきゃいけない」と言うのも、おかしいだろうと思う。性は「秘め事」であるわけで、学校みたいなところですべてを教えるようなものではない、というか、性においてすべてとは何であるかそもそもよくわからない。「メディアが発達して、そこで誤った性情報が氾濫して、それでおかしなことになるんだ」としばしば言われますが、誤った性情報なんて昔から氾濫しています。映像がない時代にも官能小説だのエロ本だのはたくさんあって、当然、青少年を中心として、好奇心からそういったものにずっと触れてきた。だから、そういうメディア環境そのものがおかしな性行為を作るわけじゃないはずです。

本来的には、セックスを含め、何事も幻想含みの受け止め方をして、知識として知っていることを実際の経験を通じて、常に補正しながら人間は生きていくものじゃないですか。何かそういう普通のところがおかしくなっていると感じます。別に学校で習わなくてもセックスはできる。それができなくなっているということがこの問題の本質ではないか。実際、社会調査の示すところによれば、若年層の性愛からの撤退傾向は顕著(けんちょ)です。

望月　性犯罪被害については、告発や被害届、裁判が増えてきて、すごく認知度が高まっていると思います。ただし、海外の事例と比較すると日本の性教育は全然なっていない。

たとえば、実の父親に中学生の頃から6年以上にわたって性暴行を受けていて我慢させられ、成人してから告発して裁判に訴えた女性のケースがあります。でも、暴行脅迫要件である抗拒(こうきょ)不能に当たらない、つまり父親から逃げることができたんじゃないかということで、19年3月に名古屋地裁の岡崎支部で無罪の判決が出ました。それに対して大きな批判が巻き起こり、全国で抗議も含めた「フラワーデモ」の集会が拡散しました。最終的に20年3月に名古屋高裁で懲役10年の逆転有罪判決が出ています。これが大きな契機にもなり、現在は、準強制性交等罪の成立要件から「暴行・脅迫」という抗拒不能の要件を取るか取らないかという議論になっているわけです。

今後は、学校などでの性教育は性行為というよりも、さっき言ったように「自分の体に対して他人が侵入してきた時に、それが非常に問題があることなんだよ」という性犯罪に関わる事柄、ひいては個人の尊厳に関わる事柄を、欧米のように小さい時から教えなきゃいけないのではないかと思います。

なぜなら、そうとわからない小さい頃に性的いたずらをされるとトラウマになってしまうし、その後、自分が性犯罪の被害者とわかっていろんな意味ですごくショックを受けても、多くの場合、心理的にも環境的にも「誰にも話せない」という状況に置かれてしまうからです。
じつは、自民党の議員の中でも若い世代の人は「性教育が不道徳だ」などとは言いません。こと性教育や性犯罪被害に関しては、欧米と同じような感覚を持っている人は多いです。

卑怯な自民党政治

白井 ここまで望月さんがしてきたジェンダーなどに関する議論は、「今の日本社会のメインラインは、改革に反対する反動政治なんだけれども、じつは基層の部分、とりわけ若い世代でリベラル化してきているのではないか」という話の一環ですよね。

望月 いろんな現場の声と永田町を取材した時の空気感の差に、私は毎回びっくりします。たとえば、選択的夫婦別姓について。2018年に内閣府が発表した世論調査によれば、賛成42・5％、反対29・3％となっている。自民党には、いわば選択的夫婦別姓を進める会と進めない会、両方の勉強会があるのですが、その様子を見ていると、内閣府のデータとは逆で、進める会のほうが元気がないんですね。

じつは25年以上も前、1996年の法制審議会で選択的夫婦別姓を導入する民法改正案要綱の答申が出されています。けれども時の政権、ほぼ自民党が与党ですが、ずっと法案として出してこなかったわけです。それもあって、もう疲れてしまっているのかもしれません。

勉強会でプレゼンテーションする女性は、たとえば、海外での勤務経験もある国連や国際銀行などで働いている人だったりします。「通称でいいじゃないか」などと高市さんは言いますが、海外だと非常にセキュリティがしっかりしていて、厳格にＩＤが管理されています。だから「これは通称で、本名はこっち」というのが通用しない。「おまえは偽物か」という話になって、すごく仕事上、差し障(さわ)りがあるわけです。

そういう話を現場で苦労している女性たちは一生懸命プレゼンして、それを受け止める側の自民党の進める会は、ＮＨＫ出身の衆議院議員の井出庸生(ようせい)さんとかやる気のある若手の議員も事務局に入っています。けれども、「どうしてもやらなきゃ」という熱量が足りない。むしろ、高市さんなどがいる進めない会の勉強会のほうが妙に元気なんですね。こうした永田町と世間のずれは何なのか。怒りというか、まず驚きを感じてしまうんですよ。

白井　自民党の中にも一応推進している人がいるということだろうけれども、はっきり言って卑怯者じゃないですか。自民党のコアな部分は、岩盤支持層と密着して「絶対にこんなもの通さないぞ」と頑張っている。夫婦同姓は自民党なるものの背骨の価値観を成すものだから、いわば当然でしょう。夫婦別姓を推進している人たちはその価値観を受け入れないと言っているわけです。私にしたら「だったら、自民党やめろよ」という話でしかない。しかし全くやめる気配はない。自民党に所属することによって「自分の議席は安泰であってほしい。けれども、夫婦別姓は実現したい」。何を半端なことを言っているのか。極めてずるいんですよ。

有権者にしても、4割以上が選択的夫婦別姓のほうがいいと言っているのに、実際の選挙ではどこに入れたのか。大半が自民党じゃないですか。つまり、夫婦別姓は絶対にダメだという考えが自民党の背骨の価値観なんだから、それに対して投票行動で「否」と言わなければ、変わりようがないわけですよね。

望月 「だったら、野党に入れろよ」というのはすごくわかります。ただ一方で、野党に対する負のイメージが相当強い。安倍さんが常日頃から「悪夢のような民主党政権」などと息巻いて叩いていたことも影響していると思いますが、なぜ野党はこんなにも弱いのか。野党共闘にしても、22年1月に立憲民主党代表の泉健太さんが日本共産党との連携を「白紙にする」とテレビ番組で言ったことに対して、共産党書記局長の小池晃さんが「見過ごすことのできない発言だ。協議なしに一方的に白紙にするという議論は成り立たない」と強い牽制球を投げたり、国民民主党がいきなり予算案に賛成したり……。何で野党はこうバラバラになってしまうのか。

あるいは、野党に見えない「ゆ党」、日本維新の会が議席を伸ばしてしまうのか。ジェンダーという観点で考えると、維新は通称を認めているけれども、選択的別姓を認めているわけではありません。どちらかと言えば、ジェンダー平等を進めようという政党ではないですね。でも、なぜか支持率でみると選挙前は立憲民主党と肩を並べる支持を集めています。さっき白井さんが言った「主体的に考えられない日本人の病」とリンクするんでしょうか。

白井 維新はジェンダーに全く興味がないと思いますよ。有権者について言えば、夫婦別姓に代表されるような平等の実現は当然、法的レベルで変わらなければいけない。法的レベルで変わるためには国会で議決されなければいけない。議決されるためには自民党が与党である限り不可能。維新も同じ。こういう当たり前の論理連関があるわけです。けれども、そういうことが全くわかっていないんですね。わかろうともしていないのでしょう。だから、本気で望んでもいないというのが本音だと思います。

また、悪夢の民主党というのは、ただのプロパガンダであって、より酷い悪夢は安倍政権以降じゃないですか。安倍さんの前の民主党の野田佳彦首相、その前の菅直人首相も五十歩百歩ではあるけれども。何が本当なのか、自分で調べて考えないから、安倍さんの言葉の連呼にだまされるわけです。だから今、日本人が苦しんでいるとすれば、やはり自業自得なんですね。

「言ったもん勝ち」が支持される理由

望月 21年10月の衆院選の時、東京1区で立候補した自民党の山田美樹さんの出陣式を取材し、女性支援者たちに「彼女を支持する理由は何ですか」と尋ねたんですね。「夫婦別姓については……」などと水を向けたりもしましたが、「そういう難しい話はわからない。自民党だし、山田さんはいつも頑張っているから」という答えが多かった。確かに、あまり政策を見ていない様子でした。

結局、地元の人たちが見るのは人柄とか頑張っているかどうかなんでしょうね。大阪府知事の吉村さんとかも現実的にはコロナ対策に失敗し、IRばかりに執心なのに、「毎日のようにぶら下がり取材をやって、嫌な質問を受けても嫌な顔一つせずに淡々と答えている。えらい頑張っているな」なんて評判がいいわけです。そうなるのは、いわゆる情にもろい日本人の気質のせいもありそうだし、政策で選ぼうとキャッチフレーズのように言うのは簡単ですが、なかなかそうならない……。

白井　民主党が「マニフェスト」と言い出したのは、それまで「公約」を破ることがあまりにも当たり前になってしまっているから、必ず守るものとして公約をマニフェストと呼ぶというような話だった。だから「最低でも沖縄県外に移設する」と約束してそれを守れなかった鳩山由紀夫さんは、責任を取ると言って総理を辞任した。そういう意味では言行一致していた。

望月　「正直者はバカを見る」という話かもしれません。はっきり言って、維新は吉村さんとかも含めて、若くて世の中的に「イケメン」と言われるような人を立候補させるといった〝見た目重視〟の戦術です。政策を語るのではなく、イメージだけでやっている印象さえあります。

白井　実際、何もやっていないんですよ。松井一郎さんなんか公務に従事している時間が極端に少ないですから。でも、有権者はそんなことはどうでもいい。

望月　とにかく選挙は強い。維新に対して、立憲は19年7月の参院選の時から危機感を持っているんですね。関東でも勝てると思っていたところで維新に競り負けています。その勢いが衆院選でも続いていた感じで、大阪で辻元清美さんまで負けてしまった。

22年2月に立憲が維新と国民民主党との国会対策の実務者協議の場をいったん設置したけれども、外された共産からすごく反発が出て結局、その協議を取り止めにしたじゃないですか。維新から「手のひら返しだ」とか批判されましたが、あれは苦肉の策だったらしい。現在、国対協議は、じつは自民とのやり取りよりも維新や国民民主を説得するほうがすごく大変で、だから立憲は、従来のやり方とは別に実務者協議の場を作ることにしたんですね。つまり、維新や国民民主のせいできちんと国会の議論ができないという面もあるわけです。なかなか有権者には伝わらない負の側面でしょうが。

白井　立憲の泉代表や馬淵澄夫（まぶちすみお）国会対策委員長がふらふらしているから、そんなことになるんですよ。それにしても、維新が圧勝しているから大阪は特別という話では、必ずしもないのかもしれません。東京都は差別主義者のポピュリスト、石原慎太郎がずっと都知事に当選し続けていた。そして小池百合子都知事が相変わらず人気という状態で、都民ファーストの会も一時期、すごく勢いがありました。そういう意味では東京も大阪と同じですよね。

東京だけじゃない、神奈川だってそうでしょう。21年8月の横浜市長選で横浜市立大学の医学部教授だった山中竹春さんが勝ったじゃないですか。立憲や共産党の支持者は菅義偉さんの地元で勝ったと喜んだけれども、私、選挙の時から疑問に思っていたんですね。彼は選挙の時に「私はコロナの専門家だ」と盛んに強調していた。でも、コロナの専門家なんて世界に何人いるかという話ですよ。まともな学者だったらそんな危ういことを言えるはずがありません。

もちろん、感染症にはいろんなアプローチがあるから、彼のやってきたデータサイエンスがコロナ対策の何かしらの役に立つということは十分あり得ると思います。けれども、コロナ専門家の自称はあり得ない。そういうことを平気で言える、いわば「言ったもん勝ち」のセンスがすごく維新的なんですね。逆に言えば、だからこそあの選挙で野党共闘は勝てたんですよ。

望月　自公が過半数の市議会の抵抗もすごいようですが、「それにしても……」と相当批判されていますよね。

望月　案の定、市長をやらせてみたらどうしようもないことがすぐに露見したわけです。

立憲は、れいわのケンカを見習え

望月　立憲は今後の選挙で勝つためにどう戦っていけばいいのでしょうか。野党共闘にしても共産党との距離感は難しくて、選挙協力できるところもあるでしょうが、候補者調整できないところはそれぞれ立てて戦わざるを得ない……。

白井　それでいいと思います。はっきり言って、もうだんだん立憲民主党そのものが衰退してきているでしょう。共産党が候補者を立てたら後ろから殴りかかるかたちになるけれども、殴り倒しちゃえばいいじゃないですか。いまや立憲民主党は存在意義を失いつつある。

代表の泉さんが盛んに「追及と提案のバランス」とアピールしているけれども、これまでだって提案していたわけじゃないですか。結局、「野党はいつも批判だけ」というフェイクニュースに屈したということですよね。維新に対して腰が定まらないこともそうだし、そんな情けない姿を見ていて「応援したい」という気持ちにはとてもならない。戦う姿勢がブレブレじゃないですか。何が何でも戦うんだという姿勢を見せればこそ、「頑張ってくれているんだな、応援したいな」という気持ちを喚起できる。けれども、あんな逃げ腰な姿を見せられたら、「もういいよ」となりますよね。

望月　その点で維新はすごくうまい。プロレス的というか、中身がなくても常にケンカを仕掛けていて「戦っているんだ」と見せています。たとえば、今は国会議員を減らそうとしている。こういう維新の見せ方に対抗しようとしているのが、れいわ新選組の大石あきこ衆院議員の戦い方ですよね。彼女は大阪府庁出身です。今はＩＲをメインにケンカを仕掛けている。代表の山本太郎さんも参戦していて、れいわは「自民より悪いのは維新」と完全にターゲットとして定めている感じがします。

維新は17年の総選挙で議席を減らしたのですが、敗因の一つにＩＲの議論がすごく表沙汰になったことがあるとも言われています。じつは公明党もかつてはＩＲを嫌っていたので、その影響があったんですね。21年の衆院選で辻元さんが負けたのも公明票が維新の議員に回ったからと言われるくらい、大阪では公明票の行方が勝敗を左右する一因になっている。

公明が本当はやりたくないＩＲをもっと争点化させれば、維新に勝てるかもしれない。太郎さんは20年の大阪都構想の住民投票で、突撃的に大阪に入って反対の街宣活動をいろんなところでやりました。すごい人だかりができたそうで、その時の体感から都構想と同じように議論を二分するＩＲ、つまりカジノの是非ならわかりやすく府民に訴えられるし、公明票を反維新に動かすこともできると見ているのでしょう。

立憲には、れいわのケンカを見習えと言いたいです。それをとりあえず実践し始めたのが元首相の菅直人さんですよね。ツイッターで橋下徹さんを「主張は別として弁舌（べんぜつ）の巧みさでは（中略）ヒトラーを思い起こす」などと批判しました。ただ、維新は「じゃあ、公開討論しましょう」と言い出して、そこで必ず争点ずらしに持っていく。菅さんもそう分析しているらしく、口車には乗らずにとにかくツイッターと、参院選の大阪の選挙区の担当としてひたすら淡々と反論を続けていました。

ネットで盛り上がるのは、要するにバトルじゃないですか。だから維新との対決姿勢をネットで見せていく。そういう対決型でやろうとしているリベラル系の国会議員は大石さん、太郎さん、菅さん以外にも何人かいます。れいわ新選組から参院選に立候補して当選した、タレントの水道橋博士さんとかツイッター発信で本当に頑張っていますよね。でも、立憲の人たちに「維新とのツイッターバトルに参戦してはどうですか」と聞くと、賛成してくれるのは2割くらいとか。国会議員は目立ってなんぼですが、多くはネットでの論争を怖がっているわけです。

よくも悪くもリベラルはお行儀がいいんですよ。そこそこインテリだから「こんな非常識なやからと同じ土俵に立ちたくない」と思うのでしょう。でも、そこが維新から見て付け目です。だから言ったもん勝ちでがんがん、めちゃくちゃ言うわけじゃないですか。何かすごく確信犯的にやっている感じがしますね。

大石さんは大阪大学工学部の大学院まで出たインテリですが、彼女のツイッター「#大石あきこ橋下徹に訴えられたってよ」なんて、お行儀悪いけれども笑いのセンスがあって面白いじゃないですか。橋下さんに名誉毀損で損害賠償３００万円を請求されている裁判も、ある意味格好のネタとして利用する。肝っ玉が据わっているし、知的に戦っているんですね。それに比べて、立憲の女性議員たちは弁護士とか、みんなインテリでいいけれどもよくも悪くもスマート過ぎるように見えてしまう気がします。やはり大石さんのような突破力、いわばちょっとお下品なファイティングスピリットが欲しいです。

白井　本当に、大石さんの戦闘力には目を瞠るものがあります。その辺でも立憲は危機感が足りない。しかし、もう野党第一党の座は風前の灯火だから、ようやく尻に火がついてくるでしょうが。

望月　負けて、そこから、じゃあ、どうするかと……。

白井　ただし、立憲の今、偉くなっている人たちが自己改革して何かできるとは思えません。ですからあの器はもう駄目でしょう。やはり若い世代からいい人が出てこないといけないでしょうね。何か新しい仕掛けが必要じゃないですか。たとえば、コロナを通じて地方自治体レベルですごく明暗が分かれていますよね。首長さんには、きちんとした指導力と見識のある人と、ダメな人がいることがよくわかった。だから、まともな首長さんたちを集めて、新しい政治勢力を作っていくみたいなことができるのではないか。その筆頭で言えば、今は明石市長の泉房穂さんでしょうか。右翼に刺殺された石井紘基衆議院議員の秘書だった人で、自身も民主党の衆議院議員でした。

望月　四條畷市長の東修平さんもいいらしいです。外務省出身で28歳で市長になった人ですが、選挙では連続して大阪維新の会の候補に勝っています。確かに具体的に何かを変えたい人は、下手に国会議員にならずに地方自治体の首長になっている感じがする。ただ、そういう首長さんたちを束ねても国会は動かせませんよね、一定の影響力は与えられるでしょうが。

白井　みんなを国会議員に転身させられるかと言ったら無理でしょう。だからどういう枠組みを作るのか、なかなか難しいところです。たとえば、コロナ対策で鳥取県知事の平井伸治さんが非常に評価を上げました。あの人は総務省出身の自民党系ですが、これまでの所属党派と関係なく、指導力と見識のある人たちを束ねた政治勢力が必要だと思うんですね。

望月　島根県知事の丸山達也さんや和歌山県知事の仁坂吉伸(よしのぶ)さんなども自民党系ですが、このコロナ禍で政府・与党や大阪などにもモノ申して結構名前が売れました。

白井　そういう人たちはイデオロギーで自民党をやっているわけじゃないですからね。何とか力を結集できる方法が欲しい。

維新ブームは続くのか

白井　維新は菅直人さん、大石あきこさんなどを攻撃したりしていますが、それほど支持を得られていない。維新は焦っていると思いますよ。今のところ選挙はすごく好調に勝ち続けているし、世論調査をしても野党第一党の座を確保できるかという感じになっている。けれどもネット上で起きていることは、ある種現実社会より少し先んじているところがあって、最近のネットの様子を眺めると、維新への風が止まるというか、反転して逆風が吹き始めたような空気が出てきています。それは維新衰退の流れの前触れかもしれません。

望月　ネットを見ていると、維新の体たらくぶりがよくわかります。

白井　維新すげえ、維新頑張れみたいなものよりも維新がいかにウソつきであるかというもののほうがより多く見られるようになってきた。たとえば、吉村さんの文書通信交通滞在費（現・調査研究広報滞在費）の件もあっという間に大ブーメランだと発覚して、批判が殺到して認めざるを得なくなった。今、ネット上ではそういう潮目の変化が起こっていると思います。

望月　それにもかかわらず、なぜ維新の支持率は一時期は異様に高かったのでしょうか。これまで何度も新党ブームがありました。たとえば19年には、れいわブームという感じがあったけれども、あまり伸びなかった。今、維新ブームだとしたら、れいわと比べて何が違うのか、あるいは同じなのか。自民党の元幹事長はそれなりの一大政党になる可能性があると言っていて、ある首相経験者はすぐ消えると言っていました。白井さんは、維新の危うさはもうわかる人にはわかっていて、それが広がればシュリンクしていくという見立てですよね。

白井　単純な話ですが、維新に関してはやはりテレビのワイドショーとかによく出てくるのが、大きく影響していると思う。テレビをうまく利用しているわけです。

望月　特に大阪のテレビですよね。大阪のレストランとかでは「大きい声で吉村さんの悪口を言っていると、何されるかわからないからあんまり言わないほうがいい」と教えてくれた大阪の知人もいます。

白井　テレビは維新で視聴率が取れないと思えば、瞬時に方針転換するでしょう。

それにしても演出にだけ長けている政治家たちが耐えがたいのは当然として、それを支持している人たちが確実にいるわけです。いずれにしろ、私にはそういう状況が耐えがたいですね。しかも残念ながら、その状況は深刻になっていると思います。

アメリカははっきりそうした分断が深まっていますよね。昔から赤い州と青い州というようなかたちで分裂、分断はあったけれども、それがますます深まっているわけです。たとえば、共和党系の自分の子どもの配偶者に民主党系の家の子どもを迎えるのは耐えがたいと。逆も同じようになっています。分断解消のきっかけが見えない状況なんですね。

望月　私は、特に維新のジェンダー平等に関する主張について危惧しています。先にも触れましたが、選択的夫婦別姓でも通称姓拡大のような感じで、現実的に認めていません。維新は女性に人気がないと言われていますが、そのせいもあるでしょうね。

軸が見えない立憲

望月　もともと立憲から出る予定だったという都議選の維新候補が「立憲は空気が悪い。言いたいことが言えない。だから維新に鞍替え(くらがえ)した」と言っていました。確かに維新には明るくて妙に人当たりのいい議員が多い感じがするし、まだ新しい政党のせいか、あまりピラミッドになっていないし、空気感からすると、いろんなことが言いやすいのかもしれません。ちなみにその人は落選しましたが。ただ、党としては立憲がライバルという位置づけなので、改憲に賛成するか否かの政策判断は、中央＝大阪の決定にしばられています。

今の立憲代表の泉健太さんは明るい人だし、党内では人望もあり結構評価されています。彼は立命館大学の時に全日本学生弁論討論交流会の会長をやっていて、相当弁が立つらしいんですね。アベマTVの「ニュースバー橋下」で橋下徹さんにも全然言い負かされなかったと評判です。

白井　ちょっと腕力が足りない、迫力が足りない感じですが。

望月　もうちょっとケンカ腰でいいし、提案型にこだわるとか、妙に行儀よくなる必要はない気がします。ただ、政調会長の小川淳也さんのように「維新を取り込んだ野党勢力」みたいな危なっかしい議論をされても困るし……。

白井　結局、彼らは軸がどこにあるのかさっぱりわからないんですよ。

望月　そうなんです、二人とも元々は希望の党でした。ただ、ここ最近は、それぞれ学び続けている中で立憲らしさをより考えているようには見えます。創設者の枝野さんとは立ち位置が違うのかなとは思います。

白井 泉さんも小川さんも、そもそも前原誠司さんの系統ですからね。

望月 代表選の時、小川さんがジェンダー問題で何も言えないのにはびっくりしました。初日に質問する機会があって、「政治や経済とジェンダーはすごく密接に絡んでいると思う。これからどう皆さんはアピールしていきますか」と聞いたんですね。そうしたら「すごくいい質問です。ただ、簡単に答えるには時間がかかる」と、全然答えになっていなかった。その後、フリーランスの和田静香（しずか）さんや他の女性議員や支援者たちが、いろいろと講義をするようになり、変化が出てきたとは聞きましたが。

白井 小川さんは何か訳がわからないところに話を持っていく悪癖がある印象です。連合と立憲の関係について突っ込まれた時も「企業別労働組合というのが問題で、やはり理想的には産別労働組合です」とか言い出した。組合理論の話なんかしていないわけですよ。だから「それはその通りだけれども、じゃあ、あなたは産別労働組合の全国組織を作るために今までどんな努力をしてきたんですか、今どんな努力をしているんですか」と言いたくなりますよね。おそらく何にもやっていないでしょう。

望月 危なっかしい感じは確かにしました。ただ、取材している記者が言うには、「泉さんは枝野さんに比べると明るいし、うまくやっている。やはり連合を切れない大変さがあるから、枝野さんと同じ路線は取れないし、すごく難しい」ということなんですね。でも、とにかく外目にわかりづらいのは非常によくないと思います。

自民党のまともな政治家を探す?

望月　岸田さんは話の中身はともかく、言い方がソフトなのでずいぶん得をしていますよね。安倍さんや菅さんのように「あなたたちとは違う」とかケンカ腰になったり切れたりしないし……。

白井　二人と違ってスキャンダルのネタも今のところないようです。

望月　安倍さんと菅さんはやはり官僚の恨みも買っていました。だから、たとえば総務キャリアの告発もわーっと出て、菅さんの息子が関わる東北新社の問題がクローズアップされたわけです。岸田さんには今のところありません。ただ、聞く力と言っていますが、何を聞いているのかよくわからなくて、聞き流す力のほうがふさわしいと思うし、新しい資本主義もよくわからない。でも、何かまともに見えてしまう。

白井　ただ、その地味な感じのおかげで、意外に野党に風が吹いているのかもしれないですよ。21年秋の自民党の総裁選、そして総選挙へという流れの中では、野党なんてものは存在しないという空気になっていましたから。

望月　確かに立憲と共産と維新の国対協議でのごたごたとか国民民主の予算案賛成とか、情けないニュースだけれども話題がないよりはあるほうがいいかもしれません。先日、永田町を取材したら、国民（民主）の玉木雄一郎さんが、与党案に賛成したのは、今後の自民党入り、ないし、与党との連立を約束されたからではないか、というような話も聞きました。野党の勢いがなくなる中で、自民党に入れ、宏池会に所属させたほうが、安倍派への牽制にもなると、岸田さんは見ているのかもしれません。玉木さんにとっても自民党入りする、ないし、連立を組んで与党入りしたほうが、政策にも絡めるし、大臣になれる確率も高いとみているのかもしれません。

白井　泉さんが連合の芳野会長を「自民なんかにすり寄ってんじゃねえよ！」と罵倒したらいいけれど、まあできやしまいが。

望月　プロレスでいいんですよね、ちょっと面白そうだなと思ってもらったほうが……。

白井　前首相の菅さんは、どういう人なんですか。

望月　右も左もないからこそ、安倍さんにゴマすって総理にまでなれた人ですよね。そういう意味では取り込み型で、人たらしと聞きます。自民党の元幹事長や大臣経験者からも「望月さんは何でそんなに菅さんを嫌いなの？」なんて言われたこともありましたし。小泉進次郎さんに幹事長を打診した時には、おそらく石破さんにも打診していたと言われています。二人との関係は悪くはないのではないでしょうか。石破さんは国民的には人気があるじゃないですか。二階俊博さんも石破さんとの関係は悪くない。菅さんや二階さんみたいなタイプは常に駒をキープしておきたいのでしょう。

それにしても石破さんがまともに見えるというのも、今の政治状況の危うさを表しているのかもしれませんね。核武装論者で、ひと昔前は自民党の最右翼みたいだったのに。ただ、河野太郎さんが総裁選で負けた時の談話での対応を見て石破さんは偉いと思いました。河野さん本人や石破さんと一緒に支持していた進次郎さんはやはりショックだったのでしょう、質疑応答の時間もそう長時間は取らずに終わっていた。一方、石破さんは、「何がいけなかったのかを含めて、きちんと分析していかなければならない」などと記者のいくつもの質問にきちんと答えていました。ある意味、二人よりもはるかにズタボロのはずなのに、そういうところが人間として偉いなと……。

安倍さんが会長を務めた清和政策研究会は、元文科相の下村博文(はくぶん)さんが「俺が次の総裁候補だ」と言って、高市さんが派閥に戻るのを頑として認めないなどの話があったり、実は内輪もめがあると聞きます。岸田さんの次となると、他には、衆議院議員に鞍替えして外相になった林芳正さん、幹事長の茂木敏充さん、元経済再生相の西村康稔(やすとし)さん、菅内閣の官房長官だった加藤勝信さんなどいろいろ名前が上がりますが、結局、みんな小粒です。

白井　清和政策研究会が高市さんを良しとする勢力と、嫌だという勢力で水面下で分裂してくる可能性もあるでしょうか。一方の大将は総務会長に抜擢(ばってき)された福田達夫さんとか。

望月　それはあるかもしれない。それにしても、どうしても自民党の中でまともな政治家を探すという話になってしまいますね。野党はそっちのけになりがちです。

白井　要するに、政治が自民党の中にしかないという酷い状況なんですよ。それは結局、安倍さんが破壊して生み出した政治状況なんですよ。もちろん野党の自滅もあるけれど。

望月　リベラル的な自民党の中堅議員に聞くと、政調会でまともなことを提案しても「それなし」と、幹部から言下(げんか)に否定されるらしいんですね。全くまともな政策議論ができない。総務会もこれまできちんと議論して、もんでいたようなこともできないそうです。高市さんの目に適(かな)って選ばれた議員たちが、政策決定に絡んでいて非常にやりづらいそうです。

白井　自民党の中にさえ政治がなくなっているとしたら、もう本当に日本の政治は終わっていますよね。

第3章
壊れていくメディアと学問

コロナ危機を悪用した「望月はずし」

望月　今のメディアの状況が白井さんにはどう見えているのか。この機会にぜひ聞いてみたい。私がまず大きな問題だと思っているのは総理、官房長官の記者会見なんですね。具体的には「記者の締め出し」の問題です。

２０２０年4月7日に初めての緊急事態宣言が発令されました。その日、50代の内閣府職員が新型コロナに感染したというニュースもあったんですね。「ああ、ついに官邸にまで入ってきたか」とやはり驚いたことを覚えています。

緊急事態宣言を発表する総理会見は官邸で行われたわけですが、感染対策と称して、それまでになかった記者会1社1人、フリーランス10人のくじ引きという報道機関に対する人数制限が課せられました。その2日後の4月9日、私が官房長官会見に出ようとすると、官邸担当の菅義偉さんの番記者がやって来て「総理会見と連動して、官房長官会見も1社1人という要望が記者会に出されている。それに菅さんは1日2回の会見を1回にしてくれとも言っている」と言うんですね。どさくさ紛れの要望だと思ったのですが、「かなり強硬で抗(あらが)えないかもしれない」というような話しぶりでした。

そもそも官房長官会見に出ている記者は、ほとんど1社1人なんですね。たまに政治部に加えて国際部や社会部が来ることもありますが、常に1社から2人来ているのは東京新聞くらいしかなかったわけです。だから私は、感染対策を逆手に取って「望月はずし」を兼ねていると受け止めた。「いつも各社2人ずつ来ているわけではないし、席の間隔を空けるにしても人数の余裕はあると思う。納得いかないから抵抗してください」と伝えました。

その日、官房長官会見で幹事業務を行う19社の官邸の番記者たちが集まって、1日2回を1回にするというのには全員が大反対。でも1社1人については「コロナだからしょうがないだろう」と要望を受け入れることに決まってしまった。人数制限に反対したのは東京新聞と毎日新聞だけだったんですね。確かにまだ感染力も致死率もわからない状況ではあった。だから「とりあえずは緊急事態宣言の間だけで、解除すれば戻しますから」ということで官邸サイドと話をつけた。「すみません望月さん、そういうことで」と言ううちの番記者の説明を聞いて、私は諦めざるを得なかったわけです。

ところが緊急事態宣言は5月25日に解除されて、「もう元に戻りますね」と番記者に確かめたら、今度は官邸の広報室長が「第二波がいつくるかわからないから」と言い出したということで、1社1人のまま。第二波が終わった時も「いや、第三波が……」と結局、人数制限は解けなかったんですよ。もちろん幹事社の記者の中には、これを常態化させてはいけないと、通常の会見になるべく早く戻すように動いていた人たちもいた。けれども通じなかったんですね。

記者会としてまとまってきちんと動いたのは21年10月、岸田さんが首相になってからのことでした。東京オリンピック後に感染がおさまってきて、飲食店の時短制限の緩和とかイベントの人数制限の上限1万人とか、経済活動を回すほうにわりと大きく舵（かじ）を切った時期に「だったら記者会見も、かつての来たい人が来られるというスタイルに戻させてくれ」と正式に要望を出した。ところが岸田さんは「ノー」という回答を出してきたわけです。

総裁選で「記者会見の1社1問にどう答えるのか」とか、安倍さんと菅さんの答え方にいろいろ批判があったので、そう聞かれた時には「時間に制限はあっても、なるべく一人でも多くの記者にきちんと答えてあげたい」などと言っていました。「聞く耳の岸田」みたいなアピールをしていたけれども、実際には総理会見も官房長官会見も1社1人のまま。それが今も続いているんですね。

当初から、この特例がずるずると引っ張られて既定路線にならないかという懸念はあった。結局、岸田さんも口先だけで、権力側は何でも都合よく利用するということなのでしょう。感染対策であれば、Ｚｏｏｍなどオンライン会議アプリを使った会見でもいいはずです。本来的には、なるべく多くの記者の質問を受け付けて、より多くの国民に情報を届けるべきだと思うのですが、今もってコロナ禍という危機を悪用している感じがします。安倍さん、菅さんに比べれば、人の良さそうに見える岸田首相ですが、結局、権力者というのは一度つかんだ「メリット」は二度と手放さないということですね。記者クラブは完全に打ち負かされている。

劇団化するメディア

白井　「記者の締め出し」の始まりはコロナ前でしょう。安倍政権の菅官房長官時代の会見で、望月さんは例外的な記者としてだんだん有名になってきた。それでうるさいからいつか外してやろうと、菅さんだけでなく記者クラブもそう思っていた。やはり異様ですよね。そこに日本のメディアの劣化というものが表れているわけです。けれども、あまりにも異様なんで、いったいどこから手をつけたらいいかわからないほどになっているのが今のメディア状況でしょう。

外野から見ていると、たとえば「台本営発表」「劇団記者クラブ」などと揶揄をされていますが、よくぞ言ったりと思いますよね。事前に質問が提出をされていて官僚が書いた答えを棒読みするだけ。あんな記者会見、全く意味がない。ただのショーじゃないですか。だから政治家というか、人間が出てくる必要もなくて、ロボットにしゃべらせておけばいい。いや、もうしゃべる必要すらない。そういうものでしかないようなことをやっています。

つまり、今のメディアは報道機関ではなくて広報機関なんですね。とりわけ新聞社やテレビのいわゆる政治部が酷い。広報機関であることが政治部のカルチャーのようになっています。

もちろん、これは政治部に限らない。じゃあ、社会部はいいのかと言ったら、警察とか検察とかと似たようなある種の談合的、あるいは劇団的な関係を持っています。だから、これはやはり日本の報道機関、メディアのカルチャーということになる。その最も極端なバージョンが政治部のカルチャーとして表れているわけです。

この問題は本当に根深いですよ。報道機関が広報機関になるというのは今に始まったことではない。ただ逆に言えば、「ここまで酷いということが露呈しなかったのはなぜなんだろう」というふうに問いを変えてみないといけないとも思います。こういう談合的な構造は昔からあった。それでも一応、批判性というか、権力者をたじろがせるとか困らせるとか、そうするような力がメディアの現場には、ある時期まではあった。けれども、その力が急速に失われてきた。それが明らかになったのが安倍政権以降のメディアの状況でしょう。そこで望月さんにうかがいたいのは、いったい何がメディアの中で変わってしまったのかということなんですね。

望月　朝日新聞の南彰さんの分析によれば、小泉首相の頃までは、個人的にこの新聞が好きだとかこの記者が好きだとかあるにしても、権力の頂点に立つとやはり等距離外交になって、メディアに出る回数も各社年間2回ずつというふうに基本的に決めていた。けれども、特に2012年以降の第2次安倍政権では、ネット番組の「虎ノ門ニュース」（DHCテレビ）に出たり作家の百田尚樹さんに直接会ったりと、安倍さんが極端にメディアを選り好みするようになったわけです。

南さんは12年12月から20年5月まで安倍さんが首相として単独インタビューに応じたメディアをカウントしています。新聞で言えば、産経新聞に一番出ていて32回、朝日新聞はたった3回なんですね。自分が好きなメディアにはたくさん出るし、いろんな発信もするしと、すごく選別化していった。それでメディア側に「メディアは批判するためにある」というような基本的な考えではなく、「安倍さん側についていたほうが何やかんや主導権を持ててお得だぞ」と考える人たちが増えてきて、雪崩を打ったかのごとく、いわば安倍さんべったりになっていくんですね。つまり、メディアがどちら側につくかで分断させられたような展開です。

森友疑惑で国有地の値引き話が出てきた時、朝日新聞が黒塗りで出てきた設置趣意書について「ここには安倍晋三記念小学校と書いている」と、籠池泰典(かごいけやすのり)理事長の発言を基に報じました。当時、籠池さんが彼の記憶で伝えたことを記事にしたわけです。しかし後に黒塗りを取ったら違っていたということがわかって、朝日新聞は修正原稿的なものを出した。それに対して安倍さんは、「こうやって朝日新聞はフェイクを垂れ流している。だから皆さんきちんとファクトをチェックしてください」などと国会で5回くらい取り上げました。その後の財務省の交渉記録では「安倍晋三記念小学校」とあった。

これまで国会の場で、特定のメディアをあれほど執拗に名指しして批判するようなことはなかったと思う。菅さんも野党に質問されたからですが、ある時、東京新聞の望月を特定的にターゲットにして批判したことがあります。けれども、私とのやり取りの中で出てきた内容に関する質問なのだからしょうがない部分もあった。安倍さんの場合はもっと意図的で、やはり朝日新聞をつぶしたいという思いがあったのでしょう。彼は朝日新聞を本当に敵視していたわけです。

時の権力者にそういうことをされると、どうしても日和ってしまう人たちは日和ってしまいます。経済産業省出身の評論家の古賀茂明さんが言っていましたが、「権力側を批判している自分は常に狙われているという怖さを抱えている。権力側についているほうが守られていると感じられるから楽なんだ」と。権力側を批判していない、権力側についている記者たちもそういう感覚なのでしょうね。

「反権力的」が叩かれる異常事態

望月　権力側につくかつかないかでメディアが選別化されるという状況にあって、どちらについたほうがお得なのか、それを独自の嗅覚でかぎ分けて、なびいていく記者たちはなびいていくわけです。中には、現場で取材していないことをひたすら書いて、大手書店でベストセラーになるような権力べったりの評論家もいます。たとえば、小川榮太郎さん。彼が2012年に出したヨイショ本を安倍さんの資金管理団体「晋和会」が大量にお買い上げしていたことが政治資金収支報告書からわかっているんですね。

第2次安倍政権の時には、いわばWin-Winの関係で、いろんなネトウヨ的な識者とメディアが育ちました。たとえば、「月刊Hanada」（飛鳥新社）もやはり安倍さんという強力なネトウヨ的な人がいたから、何かやたらと持てはやされたのでしょう。同誌や「月刊WiLL」（ワック）は一時期、よく山手線に中吊り広告を出していました。特に、選挙の直前ぐらいに安倍さんや菅さんの単独インタビュー記事が載っている月号の中刷り広告をどっと出すということをやっていた。1週間で何百万円もかかりますが、両誌とも発行部数は数万部と言われているので、よほどのスポンサーがいないとああいう広告展開はできないはずです。

この手のいわば疑惑はいくらでもあって、政治資金収支報告書を見れば、自民党の地方支部から数十万円の講演料が支払われていたとか、安倍さん寄りと言われるコメンテーターの名前がちゃんと出てくるんですね。

もちろん、安倍さんに限らない。自民党の野中広務さんが2010年、1998～99年の官房長官時代に先例にならって官房機密費（内閣官房報償費）から有力な評論家たちに盆暮れ500万円ずつ届けていたと暴露して話題になりましたよね。「唯一断ったのは田原総一朗だけだ」ということも言って、それを田原さんは今でも自慢しています。結局、お金の話なのかと何か虚しい気持ちにもなりますが。

白井　ある意味、きっかけは権力者が節度を失ったことでしょうね。明らかなえこひいきをするようになった。そしてメディアの側も品位を失った。

　そうした中でとりわけ品位のないメディアの存在感が高まってきた。世界標準的に見て、「月刊Ｈａｎａｄａ」とか「Ｗ・ｉＬＬ」とかは極右雑誌ですよね。こういう性格のメディアに一国の首相が出ること自体、異常でやばいと思う。でも、いつの間にかそれが普通のことになってしまったということが非常に恐ろしいわけです。ただ、確かにきっかけを作った権力者側は問題だけれども、そこにメディア側が簡単になびくというほうがより深刻ですよね。

　たとえば、望月さんが注目されるようになった菅さんの官房長官会見にしても、「その指摘は当たらない」という彼の言い方は、まさにでたらめだった。ところが、何にも答えていないに等しい彼の振る舞いが「鉄壁のガースー」などと持てはやされて、当然の質問を続けている望月さんが「空気を読まないやつ」みたいな白い目で見られた。そういう異様な光景が展開していたわけです。

　読売新聞大阪社会部出身のジャーナリストの大谷昭宏さんが、安倍政権の時代にこんなふうに言っていました。「安倍政権がメディアにいろいろプレッシャーをかけて言論抑圧をやっていると言われるけれども、馬鹿げた話だ。たとえばテレビ朝日の『報道ステーション』に対して、直接テレ朝に電話をかけて『今日の放送は気に食わない』と文句をつけるというのは非常に露骨で稚拙なやり方だ。鬼籍に入っている先輩方は、もっと巧妙なかたちの抑圧と闘ってきた。安倍政権の文句を言論抑圧などと言ってしまったら、草葉の陰から先輩方に笑われる」と。全くそのとおりだと思います。要は「権力者なんて言論抑圧するに決まっている」という話なんですね。それをかい潜るのがプロの仕事だろう、と。

　つまり、確かにきっかけは安倍政権の側だったけれども、同時に、メディアの側のすさまじい劣化があるわけです。今のメディアはまず上層部が劣化しています。上層部の面々は何のために高い給料をもらっているのか。権力側からプレッシャーをかけられた時に現場を守るのが幹部の役割でしょう。要するに、それをできないような幹部は役立たずなんだから、今すぐ辞めろという話ですよね。

　上層部が腐っている一方で、現場の記者たちは頑張っているのか。もちろん個別的には頑張っているけれども、平均点という観点では、だいぶ下がっていると思います。結局、世代の問題になってしまう気がする。大谷さんは、要は「先輩たちはもっと猛烈だったぜ」と言ったわけですが、当然、大ベテランの自分もそれを見習って、それなりにやってきたという自負もあるでしょう。今の現役バリバリの世代、つまりは私たちの世代に対して「お前らどうなっているの？」と叱っているわけですよ。

　はっきり言ってわれわれの同世代の新聞記者の中で頑張っているのは、東京新聞の望月さんと朝日新聞の南さんほか数名くらいしかいないじゃないですか。二人とも結構、同業者から叩かれていますが、それは突出しているからでしょう。わかりやすく言えば反自民党的、反権力的な新聞記者が突出している状態そのものが狂っているんですよね。

望月　政治学者だと、白井さんとか高千穂大学経営学部教授の五野井郁夫さんとか、頑張っている方々がいます。それは私たち新聞記者にとっての希望でもあって……。

白井　ただ業界は違うけれども、ある意味、同じような劣化は起きていますから。

望月　学者の中では、白井さんも「空気を読まないやつ、もっと空気を読めよ」と言われるような珍しいタイプなんですか。

白井　それは完全にそうだと思います（笑）。

朝日にもいた〝応援団〟

望月　元朝日新聞記者の峯村健司さんは、朝日新聞の編集委員でありながら、22年3月に「週刊ダイヤモンド」の安倍さんのインタビュー記事の掲載前、編集部に対して「安倍さんが心配している。私が顧問だからチェックしてゴーサインを出す」などと迫ったとして、4月の退職はそれ以前から決まっていたものの、停職1カ月という懲戒処分を受けました。これは核シェアリングの部分について事実確認をしてほしいという安倍さんからの依頼だったとありました。

もちろん、週刊ダイヤモンド側は編集権の侵害と拒否したわけです。

また、峯村さんはここ2年間、北海道大学公共政策学研究センターの研究員も務めていて、学生に講義もしていたそうですが、このニュースが出る直前、その最終講義に「スペシャルゲストとして安倍元首相に御登壇いただきました」と、自慢げにツイートしていました。

峯村さんが「note」に書いた朝日新聞の懲戒処分は不公正という反論について、経済評論家の上念（じょうねん）司さんが立派な反論だみたいなことを呟かれていました。

彼の反論には「安倍さんは取材対象ではないので、一度も記事にしたことがない」などとありましたが、逆に「記者なのに首相の話を記事にしたことがないのか」と突っ込みたくなるし、「このままでは国益が損なわれると判断した」とか「真のジャーナリストとして」といったことにも違和感を持ちました。優秀な記者だと聞いていただけにショックでした。

白井　この件について、安倍さんは知らん顔を通しました。そこまでは頼んでいないということなのかもしれないけれど、あとは頼むと元首相に言われたら、お友だちの記者なら一生懸命やるじゃないですか。
峯村さんは滑稽な人ですよ。ツイッターで傑作なことを書いている人がいました。峯村さんの今後に注目と、1のケースと2のケースを考察している。1のケースは、商業右翼が「安倍さんに近い記者だ」、高齢層の左翼が「元朝日だ、ありがたや」。どっちからも歓迎されて、順風満帆でテレビのコメンテーターになる。２のケースは、商業右翼が「元朝日だ、けしからん」、高齢層の左翼が「安倍友だとはけしからん」。どっちからも拒まれて、それで路頭に迷う……。

しかし、朝日新聞にもこういう人がいたんだなと思います。ただし、それは別に驚きではなくて、なるほどなという感じです。峯村さんは１９７４年生まれで、私たちとあまり変わらない世代じゃないですか。我々ロスジェネの勝ち組の生き方はこれなんでしょうね。そういう意味では朝日新聞らしい記者とも言えます。朝日新聞にはいろいろな人がいて、私も個人的に親しくさせてもらっている人が何人もいますが、会社の本質は、結局は勝ち組でいたいということだったのではないか。

戦後民主主義というものがそれなりに安定して揺るぎない感じであった時代には、言ってみれば戦後民主主義のチャンピオンとして勝ち組になったわけです。何となくリベラルな新聞ということで。でも、その時代が終わったとなってくると、勝ち組でいるためにどうしたらいいかとなると、右傾化するしかないよなと……。

望月　世論がこうだからちょっと改革色を匂わせようか、橋下さんにも尻尾を振っておこうか、みたいな。とにかく失敗したくないということなのかもしれないですね。朝日新聞だけとは全く限らない話ですが。

メディア幹部の自己保身

望月　「言論抑圧は昔からあった」ということで言うと、テレビ局の社員たちからも似たような話をよく聞きます。

久米宏さんが司会進行をしていた「ニュースステーション」でも「何であんな報道するんだ」といった政府の秘書官からの電話は、2000年代初めからちょこちょこかかってきていた。ただ力関係で言うと、SNSがなかったせいもあるでしょうが、テレビのほうが強かった。だから電話があっても「またかかってきたよ、がはは」とみんなで笑って流していた。ところが、安倍さんが首相になって政権が長期化するにつれて、菅官房長官の秘書官から電話が一本あっただけで「かかってきたー!」と大騒ぎになって「すぐ緊急会議、夜中に反省会」というふうにひれ伏していったと聞きました。

そして、自民党の中で派閥争いによって首相がころころ代わっていた時には、それに巻き込まれるようなかたちで政治部記者の間でも闘いがあった。だから結構、情報がいろんなところから入ってきたし、自由度もあった。ところが安倍・菅コンビで、官邸一極情報集中になって、党の幹部にぶら下がっていても官邸で決められる政策の情報が取れなくなった。徐々に記者たちが「官邸に嫌われたくない」みたいになっていった。かつてと比べても、官邸からの抗議、秘書官の一本の電話にどのメディアもびびるようになってしまった。そういう空気が醸成されたと、記者たちは分析していました。

あるいは、ニュースキャスターの国谷裕子さんが2016年にNHKの「クローズアップ現代」を降ろされたじゃないですか。その大きなきっかけは、安保法制の肝である集団的自衛権の行使容認の閣議決定を受けて、14年7月に官房長官だった菅さんがクロ現に生出演した時に、彼女がさまざまな反対意見があるということを含めていろいろと質問したことでした。インタビュー中、菅さんがああだこうだと説明したけれども、放送終了間際に、国谷さんが「そもそも解釈を変更したということに対する原則の部分での違和感や不安はどうやって払拭していくのか」という質問をした。そして菅さんの「42年間たって世の中が変わり、一国で平和を守る時代ではない」というひと言で番組がぱっと終わったわけです。

じつは、その時に菅さんは何も文句を言わずに帰っていった。でもおそらく官邸に戻ったあとに、菅さんの秘書官サイドからNHKにクレームの電話が入った。官邸側は当時内閣官房長官秘書官事務取扱だった中村格さんか安倍さんの秘書官だった今井尚哉さん、NHK側は当時報道局取材センター政治部長だった小池英夫さんと言われていて、それでいわゆる「Kアラート」が鳴った。「国谷はとんでもなく失礼なやつだ」と、ものすごい剣幕で怒鳴って、菅さんと国谷さんのやり取りをめちゃくちゃ批判したらしいんですね。国谷さんの降板には、現場のディレクターもプロデューサーもみんな大反対でした。でも上層部は「既定路線だから」と突っぱねたわけです。小池さんは政治部出身で安倍さんにすごく近いと言われていたから、もう露骨ですよね。

こういうふうにメディアの幹部は、「安倍さんがまだ続きそうだから従っておかなきゃ何されるかわからない」と、権力側にひれ伏すことに何の抵抗もなくなっていった。自己保身のために「ジャーナリズムとは何か」なんて誰も考えなくなって、それを現場にも強いるようになったわけです。そんな状態が今も続いていると思います。

白井　完全にそうでしょうね。じつは国谷さんの降板後、クロ現がリニューアルするという時期に、私のところに現場のスタッフから連絡がきたんですよ、「レギュラーで出てくれませんか」と。ただ、決裁を得ていない話だからと「また改めて」ということだったのですが、結局、連絡がこなくなりました。

要は、現場の抵抗として私のような人間を出していこうと考えたんだと思います。けれども上層部の決裁は取れなかった。その辺が現場の最後の抵抗線だったのかもしれません。上の世代の、引っ張ってきた人たちが強引に降ろされていった。現場は何とかして反撃しようとした。けれども打ち返されたというかたちですよね。活きのいい人たちはことごとく左遷されたとも聞きます。あとはもう坂道を転げ落ちるように、上が腐れば下も腐るという状態になって、現在に至っているのでしょう。

望月　ＮＨＫの「ニュース シブ5時」で22年1月、解説委員の岩田明子さんが佐渡金山の世界文化遺産推薦について、わざわざ「歴史戦チーム」という言葉を使って、岸田さんが韓国側の反対に備えた作業部会を官邸に設置するというニュースを紹介していました。これもすごく露骨ですよね。

白井　ジャーナリストの安田浩一さんが「在特会（在日特権を許さない市民の会）が下火になってよかったねと言われるけれども、そうじゃない。在特会が唱えていたようなことが半ば日本の常識になってきた。だから在特会はもはや必要なくなったんだ」と言っていました。日本が全般的に在特会化したという指摘は、じつに的を射ていると思います。

メディアで言えば、「虎ノ門ニュース」はもういらないのかもしれないということでしょう。なぜならＮＨＫが「虎ノ門ニュース」になるから。そういうまことにどうしようもない、ひどい状況が一歩一歩進みつつある。これが私の現状認識ですね。

虚偽字幕、本当の問題とは

望月　ＮＨＫで言えば、21年12月に放送されたＢＳ１スペシャル「河瀬直美が見つめた東京五輪」の虚偽字幕の問題もあります。ＮＨＫはもちろん、東京２０２０の公式記録映画の監督を務める河瀬さんが批判されました。

白井　その一件にはいろんな事柄が表れていると思います。肯定的な面を挙げると、それこそインターネットに本来期待されていた集合知が炸裂しましたね。カネをもらってデモに参加したという男が持っている缶ビールの蓋が開いてないとか、そういうディテールが次々に発見されて、これは完全なるやらせであると立証されていく過程には、なかなか興味深いものがありました。

望月　火付け役の武器取引反対ネットワーク代表の杉原浩司さんは、12月26日の放送を見逃して30日に録画を見て、河瀬さんの「オリンピックを招致したのは私たち」「みんなは喜んだはずだ」「だからあなたも私も問われる」といった発言に対して、『私たち』とくるな、根本的に姿勢がおかしい」とツイートした。そして、「実はお金をもらって動員されていると打ち明けた」というテロップとか、やらせ場面と思われるスクリーンショットもネットに上げた。それで大騒ぎになったわけです。

今、ＮＨＫでは政治意識、問題意識の強い人は、クロ現とかメインの報道畑からは遠ざけられていると聞きます。あの番組のディレクターは確かスポーツ畑の人です。だから、基本的に「五輪をやって何が悪い」と思っていたのではないでしょうか。そういう意味では河瀬さんの「みんなで賛成した五輪じゃないの」という主張に全く違和感がなかったはずです。

そう言えば、河瀬さんは五輪前に日本テレビの「スッキリ」（日本テレビ系）に出た時に五輪擁護を延々としゃべっていた。それを見て、大会サイドから選ばれた記録映画の監督とはいえ、五輪に対するネガティブな見方を全然していない、五輪ありきの人なんだなと驚いた記憶があります。

記録映画の製作メンバーである映画監督の島田角栄さんもそのBSの番組に出ていて批判されています。島田さんは、単に五輪わっしょいの取り上げ方、「片側だけになったらあかん」などと発言しているのですが、同時に「世界的な監督の直美さんの評価を落としては駄目だ」みたいなことも言っている。監督のために五輪を撮るんじゃないだろうと突っ込みたくなりますが、それなら記録映画として、なぜ反対派の「プロ市民」がいるみたいなシーンを撮ろうとしたのでしょうか。

この件では「沖縄の基地反対側はみんな金をもらっている」などと、17年にTOKYO MXが放送して問題になった「ニュース女子」（DHCシアター製作）を思い出しました。東京五輪でも現実は、「とにかくこんな状況での五輪開催は許せないから反対デモに行ってくる」という普通の市民が、私の周りでもそうですが、ごまんといたわけです。でもあれを鵜呑み（うの）にしたら、反対派はしょせんお金をもらって動いていると思えるでしょう。その影響があって、そういうシーンを撮ろうとしたのかもしれない。

五輪前の状況で言えば、菅さんの支持率が30％前後になったのを見てもわかるように、感染の再拡大が起こっていて「それでも五輪をやるのか」という怒りがすごく充満していたわけです。それは現場で取材すればするほどわかったと思います。公開される記録映画でどう扱われるかはさておき、そういう肌感覚じゃない部分の切り取り方、何か知らないけれども、一つの傍証として、小道具のビールを島田さんが用意してまで、あのシーンを撮ったわけですよね。

ディレクターが事実と違うテロップを付けたことは確かに問題でしょう。けれども、なぜあのシーンを撮ったのか、それを撮るに至った河瀬さんや島田さんの反対運動に対する大きな枠の中の捉え方、それが相当ずれているという問題のほうが深刻だと思うんですよね。

私が「スッキリ」で熱弁をふるう河瀬さんを見たのは、「無観客にするか、有観客にするか」が盛んに議論されている時期です。彼女は「選手が光り輝くためには有観客がいいんだ」などと延々としゃべっていました。選手に密着しているから思い入れが強いのはよくわかる。一方で、その後、8月にはデルタ株は致死率も高く都内の救急搬送で100回電話しても病院に入れないとか、そういうことが日々のニュースになりました。

あの問題のシーンをいつ撮ったのか。なぜ記録映画の材料として、あんな切り取り方をしたのか。河瀬さんのコンセプトはいったい何だったのか。あの五輪をどう捉えていたのか。そもそも前提から問題があったのではないのか。だからこそあのシーンを撮ってしまい、それに連動して、あまりよく考えてないNHK側のディレクターが虚偽のテロップを入れてしまったのではないでしょうか。単に裏取りが正確じゃなかったということにとどまらない、大きな問題があると思いますね。

河瀬さんは権力寄りになってしまって、いい映画を撮れていないと言っている映画関係者もいます。彼女はバスケットボール女子日本リーグ（Wリーグ）会長や大阪万博のテーマ事業プロデューサー兼シニアアドバイザーになっていますが、やはり権力者とつながっていないと取れないポジションでしょう。

河瀬さんはカンヌ国際映画祭グランプリなど数多くの受賞歴がある有名監督です。ただ、彼女クラスであっても映画作りのお金を集めるのはそれだけ大変なんだろうとも思います。22年2月に第64回ブルーリボン賞の監督賞を受賞した西川美和監督も「映画では食べてないです。ほかの映像を作ったり、いろいろアルバイトしながらやっています」と語っていました。「ゆれる」含め素晴らしい作品の数々を手掛けている西川さんでさえ、そういう状況なのかと、驚かされました。

そういう意味でも河瀬さんは、権力者とのつながりが、撮るための資金として必要だったのかもしれません。日本で文化・芸術に対する投資や支援が少ないことと表裏一体の問題が浮かび上がってしまったかのようにも感じます。

東京五輪の悲劇的状況

白井　結局、これは河瀬さんの責任だと思う。河瀬さんのいろんな意味での貧しさが引き起こした問題と言えるでしょう。今、反体制的なデモに日当が出るなんてことはあり得ない。むしろ21年10月の衆院選挙では、自民党の候補者のところへサクラで行くと5000円もらえるというのが発覚したわけです。つまり、「あっちは日当出せるけれども、こっちは日当なんか出せません、全部自腹ですよ」というのが現実ですね。

そこにまず捏造があった。なぜそんなバカな話をつくってしまったのかと言えば、今の社会の中で権力構造がどうなっているのかということに対する、いわば想像力が貧しいからです。そのために「あいつらは日当をもらっている」という話を捏造してしまう。それで「じゃあ、どんな人が日当をもらっているのか」と考えた時に、たどり着いたイメージがあの「山谷（さんや）のおっさん」だった。ものすごく差別的な視線ですよね。六本木でもなければ池袋でもなければ新宿でもなくて、何で山谷なんですか。要するに、「日当をもらってデモに行くような人間は、社会の底辺、ろくでもないやつらだ。そういう連中は山谷あたりでうろうろしていて、昼間から缶ビールをかっ食らっているに違いない」と。だから、わざわざ演出のために缶ビールを手に持たせたわけです。

望月　まさかＮＨＫが裏が取れていない情報を放送するとは思っていなかった。ところが蓋を開けてみたら全く裏を取っていなかったんですね。

白井　ろくでもないデモに、ろくでもないやつらが、はした金をもらって動員されているんだという構図を流そうとしたわけでしょう。想像力の貧しさでは収まらない、貧しい社会観であり、貧しい人間観であり、また極めて差別的な人間観が表れていますよね。

では、どうするべきだったのか。間違いなく言えることには、こんな状況でオリンピックをやっていいのかいけないのかということで、本当に国論が二分する状況だったわけです。

もちろん、選手や大会運営側に密着して取材していれば、こんなに頑張って大変なことをやろうとしているんだから、やらせてあげたいという気持ちになるのはわかります。でも一方で、反対する人たちが出てきていることも理解しなければいけない。その反対には根拠があるわけですから。

そのいわば引き裂かれが国民全体で起こった。それはある意味、悲劇的だと言ってもいいけれども、記録映画であるからには、その悲劇的な状況をいかにして克明に記録するかということが課題だったはずですよね。ところが河瀬さんは、反対するサイドを極めて差別的な視線によって、ものすごく矮小化する演出をした。結局、そういう悲劇性を表現できないとしたら、はっきり言って才能がないんでしょうね。

映画を作るにはどうしてもお金がかかる。だから金主から見放されるわけにいかない。そういう事情があるのはわかります。けれども、これは悲劇だったんだというところを本当に迫力を持って伝えられる映像をきちんと撮れば、金主にしたら少々気に食わないかもしれないけれども、多くの人が納得するでしょう。完成版はまだ観ていないのでどうなったのかよくわかりませんが、こういうのを観せられると、金主にとっての敵を矮小化して描けば金主が喜んでくれるだろうと考えて撮っているのだろうと思わされてしまいますね。

「これでいいのか」

望月　多様性やジェンダーということも問題視されたけれども、今回の東京五輪ほど商業イズムが前面に出て、五輪とは何なのか、何のためにやっているのか、真正面から存在意義を突き付けられた大会はなかったと思います。

たとえ大会サイドの記録監督であっても、白井さんが言った分断された状況とか国民の命よりも五輪ビジネスなのかというところは、普通にメディアを通じて世の中の五輪反対の様子を見れば、どんなにスポーツ選手の気持ちに寄り添っていても、五輪の負の側面がすごくクリアにわかったと思います。その見えるはずのものが河瀬さんには見えていなかった。もしくは見ようとしなかったのでしょうね。

白井　たとえば、選手あるいは関係者のすごく努力する姿、躍動する姿、歓喜する姿というような映像と、一方で、お金に関しては本当に汚いことが山ほどあるわけだから、それを示唆するような映像と、そういうものを並行させて提示すれば、それだけで五輪そのものが抱えている矛盾を鮮やかに示す記録映画になるわけじゃないですか。

世の中、矛盾があるからけしからんというわけじゃなくて、誰にでも何にでも矛盾はあるわけですからね。汚いものと素晴らしいものが同居しているという真実の姿を見せることが、この矛盾に満ちた東京五輪を記録するものの使命だったはずでしょう。そもそも五輪が金権体質の問題をはじめとして問題だらけ、矛盾だらけだということは、今に始まったことじゃなくて、前から有名な話ですよね。だから、今日日（きょうび）五輪を撮るという時に、きれいな部分だけ撮るなら薄っぺらくなってしまう。

望月　反対デモの取材をすると、別に今回だけじゃなくて、ずーっと五輪に反対してきているグループもいるんですね。何で強固に反対するかと言うと、五輪のたびに再開発でいろんな住民が追い出されたり権利を失ったりしているから。商業主義のもとで虐（しいた）げられる人たちがたくさん出てくるわけです。反五輪の人たちは各国の状況を踏まえて、五輪のデメリットをすごく勉強しています。今回の東京五輪では、期間中の同年の7～9月期のGDPは3％マイナスで、事前に言われていた経済効果は全然ないということも調べていた。

河瀬さんはそういうグループも撮っていたようです。ただ、なぜ反対するかという理論武装みたいなところを取り上げずに、名を名乗らずにカメラを回して、「出てけー」と言われて、手を上げてすたすたとその場を去っていくというようなシーンなんですね。反五輪の人たちに対して河瀬さんはきちんと向き合えていない。だから関係性が築けなくて、偏見や反発を持つようになってしまったのかもしれません。

本来的には、カメラが入り込んでいくからには、向こうから「あんたはそっち側の人間だろう」と言われながらも、「私は現場の選手を見ていて五輪はあったほうがいいと思っている。一方で、反五輪のムーブメントが広がっている。何でそこまで反対するんですか」と、別に隠すことなく、普通にストレートに聞けば話してくれると思うんですね。

白井　そう思います。大きな反対運動が起きてしまったことも今回の五輪の大事な一部なんだから、全部ありのままに撮りたいということであれば、それ自体がある意味とても真っ当な試みだし、反対する側からも支持は得られたはずですよ。

望月　河瀬さんの記録映画は、前回1964年の東京五輪の市川崑作品と比較されるでしょうから、いわば歴史を刻む作品になるわけです。それを一側面の見方しかしないで作ってしまう可能性があるという怖さを感じますね。

世の中の流れを見ながら、そこに一石を投じるのが映画監督ではないでしょうか。私が書いた『新聞記者』（角川新書、２０１７年）が原案の映画などを手掛け、２０２２年6月11日に急逝されたプロデューサーの河村光庸（みつのぶ）さんのやり方がそうなんですね。河村さんが、偉いなと思うのは、とにかく権力に反発するような作品だから、批判されるし仕事がなくなることもあると。けれども映画は基本的に社会に一石を投じて、今の社会の問題とか政治の問題に何かを投げかけるものじゃなきゃ意味がないんだと。そういう思いがすごくあって、そういう意味では反安倍の塊（かたまり）みたいな人なんですね。

　でも、それを前面に出すと大衆には受けない。右・左を言った瞬間に観客は引いてしまう。だから、もっと普遍的なドラマとして「これでいいのか」ということを描かないと、人の心は動かないし感動させられない。そんなふうに河村さんは考えているわけです。そういう気概を持った70代がいて、40代がへこへこ官邸にゴマすってどうするんだと、河村さんと話すと痛感します。

　じつはメディアもそうで、記事を発信するというのは社会に一石を投じることなんですね。だから、記者は社会がどうなっているのかという大きな枠組みをよく見ないといけない。そして自分は今、社会の一員として関わっているという自覚がないといけない。その中で「これでいいのか」というアンチテーゼを出していくという気概を持たないといけないんですよね。

「ジャーナリズムは権力や与党を批判してこそ」という前提が崩れ去っているマスメディアが

ある。これは非常に大きな問題です。河瀬さんの意識も確かに問題だけれども、それを平気で受け入れてBSで流してしまう記者、ディレクターがいる。一応、プロデューサーもチェックしているのに違和感を持たなかった。「こんなテロップ入れて大丈夫か」と止めに入るのが普通だと思うのですが。

そういう意味では、「国民が右傾化している」ということを国民のせいにしている場合ではなくて、やはりメディアに携わっている私たちが何をどう取り上げるかという時に、批判的に物事を見て、そしてきちんと権力サイドを検証するような記事や番組を作っていく。それが民主主義を守るためのメディアの役割の一つなんだという前提を取り戻すことが大事だと思う。その前提が崩れてきているわけですから。

よく「批判ばかりしているのがメディアの役割か」みたいなことが言われます。そういう論調を見聞きすると本当にがっくりする。「野党は批判ばかり」という批判とも連動しますが、要は、批判することとの価値観がすごく崩れてきているんですね。でも既存のものに対する異議申し立てをするからこそ、もっと多様で、いろんな人を包摂(ほうせつ)できるような民主主義ができてくるのだと思います。

ところが、あまりにも権力を批判することにネガティブな考え方が蔓延(まんえん)していて、それがマスメディアの中にすごく巣食うようになっているわけです。非常に危機感を覚えますね。

白井　ジョージ・オーウェルのものとされる「ジャーナリズムとは報じられたくない事を報じることだ。それ以外のものは広報に過ぎない」という有名な言葉がありますね。どれだけ実践できるかはともかく、かつて報道に携わる者は誰でも、この言葉を知っていたと思うのです。常識として。でも、今の状況を見るに、この言葉を知らない人間がたくさんいるのではないですか。

新聞社が犯した自滅行為

白井　メディアは東京オリンピックで、みんな毒まんじゅうを食ってしまいましたよね。私もその被害者の一人かもしれない。ちょうどオリンピックをやれるのかどうかという議論が盛んに行われていた21年1月、さる新聞社から私のところに寄稿依頼がありました。だから「オリンピックとメディア」というテーマで書いたんですよ。「日本の報道は『東京オリンピック、本当にやるの？　正気ですか？』みたいな批判を、フランスの何とか紙が言いました、アメリカの何とか紙が言いましたという、いわば引用で伝えるだけで、全く腰が引けている。それもこれもスポンサーになっちゃったからで、それはやはり根本的な間違いでしょう」といったことを書いたわけです。

それでさらに、「札幌オリンピックをやるとか何とか言っているけれども、よく考えたほうがいいんじゃないですか」と書いて渡した。そうしたら「掲載不可」と言ってきました。「原稿料は払いますから、すみません」と。腹が立ちましたが「掲載されないのに金をもらうのは不本意なので、全く別の原稿にします」と、全く別のテーマで書き直して渡したのですが。

望月　さもありなんですね。東京五輪のスポンサーになっている新聞社もありますから。結局、組織委員会は国内スポンサーから4000億円ほどを集めました。スポンサーになった新聞社は、オフィシャルパートナー（協賛金約60億円）が読売新聞、朝日新聞、毎日新聞、日本経済新聞。オフィシャルサポーター（同約15億円）が産経新聞、北海道新聞だった。その中で「中止すべき」と言及できたのは朝日だけです。

ただ朝日の中では、論説委員は全会一致で「中止」だったけれども、五輪を1、2年前からずっと取材してきた社会部の記者とかはその社説にすごく抵抗したらしい。やはり「せっかくここまでやってきたのに」という思いが強かったわけです。

中日新聞にも電通経由で産経や北海道新聞と同じオフィシャルサポーターの呼びかけがあったらしいんですね。当時の社長は小出宣昭（のぶあき）さんですが、社内で「どうしようか」と検討している時に、森喜朗さんが「あんな政府の批判しかしない赤い新聞社をサポーターに入れていいのか」と言ったという話がもれ伝わってきた。それで小出さんは「こっちはまじめに取材して書いているのに何だ」と激怒して断ったと言われています。コロナ禍となり、その後、会社では

「小出さんはやっぱりもっている」と言われていたと聞きました（笑）。ただ、やはり販売とか営業の観点からすると、五輪をやったほうがメリットがあると当時は思えたわけです。そういうことが影響しているのか、結局、中日新聞も東京新聞も「五輪中止」にまでは言及できていませんでした。恥ずかしい話ですが。

白井　マーケティング側から見ても、新聞が五輪中止を言わないことは間違っていたと思います。直前まで「開催はやめたほうがいい」という世論が6割くらいあったわけですから。もちろん、新型コロナがあろうがなかろうが、「東京オリンピックそのものに反対である」という考え方を持つ人はもともと相当多かった。そういう人たちと新聞購読者は結構かぶっているはずです。

　だから、新聞社がこぞってオリンピックスポンサーになだれ込んでいったことによって、購読率が下がる中でも新聞を取り続けてきた人たちが改めて「やっぱりダメだ」と失望して、新聞を見限るみたいなこともあったと思うんですね。もしそうならマーケティング上の失策と言えるわけです。

望月　テレビのディレクターに聞くと、新聞の社説とか一面でどかんと出ると、テレビでなかなか取り上げられない話でも、「こうですから」と言えて企画が通りやすいと言います。「東京新聞などの新聞社が書いてくれたほうが背中を押されるんです」と。ところが、東京五輪に関しては朝日以外どの新聞も中止に言及していなかった。だからテレビはますます中止と言えない。テレビはただでさえ選手を出し続けて視聴率を取ろうとしていたわけですから。

白井　裏返して言えば、いまだに新聞の「空気形成力」はすごいということですよね。

望月　いろんな現場の人たちから、よく「書いてくれるだけで後押しになります」と言われます。また、自民党の国会議員も一応、みんな新聞を読んで議論している。永田町でも霞が関でも、こういうことが問題だという認識は、右か左かはいろいろあっても、新聞の情報がそれなりのベースになっているんだなとは感じます。

白井　そういう意味でも、新聞はダメだ、終わっている、オワコンだとか言われ続けているけれども、やはり何とかせんとあかんということだと思う。

結局、「現場主義」を取り戻すしかないのでしょう。かつてはこういう価値観があったと思います。幹部になりたがるのは、記者として二流のしょうもねえやつだから、出世に血道を上げて新聞社の幹部というような重々しい肩書を得たがる。出世云々のために書くなんて、本来的には無能な馬鹿のやることなんだ、と。本物の記者というのは、あくまでも取材して記事を書き、それだけで勝負をする。それが新聞社の常識的価値観だったから、上に立つ者も自分の分をわきまえていたと思います。要するに、「大した記事を書いていないんだから、現場から尊敬されていないよね」ということがわかっていた。だから幹部とはいえ偉ぶるぐらいのことしかできないんだと。

そういう現場主義でもって、ある意味、言論の自由が具体的に確保されてきたわけです。しかし、いつからかそれが変わってきて、肩書を持っているやつが自分を本当に偉いと思ったり、下のやつが幹部を本当に偉いと思ったりするようになってしまったんじゃないか。この故障が直るのかどうか。外から見ている限り、なかなか難しそうではありますが、何とかしてこの価値観を伝えて復興させないといけない。

反体制派を気取る病理

白井　学者の世界に話を引き取ると、やはり私たちの世代ぐらいから、望月さんがおっしゃったような批判力が明らかに落ちてきていますよね。

右翼の人たちがよく言うことだけれども、左派利権みたいなものがアカデミックな世界にあったといえばあったんですね。ある種の反体制派を気取ることが当たり前というか、それが空気化していました。

これはマスメディアにも言えて、ある程度共通点があると思います。つまり、「この人は、本当は左派でも何でもなくて左派利権で食ってきたんだな」という人をぽつぽつ見かけるわけです。その代表が鳥越俊太郎さんで、２０１６年の都知事選に野党統一候補で出馬した時、女性スキャンダルを暴露されて惨敗したじゃないですか。その後の振る舞いも見ましたが、私はどうしようもない人間だと判断しましたね。

ただ、あのスキャンダルは事情通のあいだでは有名な話だったそうで、鳥越さんが選挙に出たら掘り返されるというのは本人含め周りはわかっていたはずです。それなのに野党は察知できなかった。情報収集力がない野党のダメさもたいがいだけれども、一番腹が立ったのは選挙後、しばらく経ってから鳥越さんが選挙を振り返って「本気で勝てるとは思っていませんでした」というようなことを言ったことです。

「何だこいつは」と思いましたよ。私の知り合いに女性で共産党シンパのフェミニスト学者がいます。女性スキャンダル報道が出て、彼女は本当に腹を立てていたでしょう。それでも鼻をつまんで街頭演説とかに駆けつけていました。大局的には、今は彼を推すべきだと、怒りをこらえて応援したわけですよ。彼女だけじゃない、そういう有名無名の人たちがいっぱいいた。鳥越さんはその思いを土足で踏みにじるようなことを平気で言い放った。

要するに、この一件でわかったことには、鳥越さんの正体は、左派っぽいということがいわば常識のマスメディアの世界、「左派にあらずんば人にあらず」みたいな空気の中で、「左派っぽいんだぜ、オレは」と泳ぎ回って飯を食ってきただけの人だったということです。つまり、マスメディアの世界には「あんなのが反体制派なんて笑わせんなよ」という人が、現実にいることが明らかになったわけです。

学者の世界も似たようなところはあると思う。学者の世界は人事に関して相対的に独立性がありますから、結局、考えの近そうな仲間を引っ張るみたいなところがあります。

21年にベストセラー『応仁の乱』(中公新書、2016年)で知られる歴史学者の呉座(ござ)勇一さんの事件がありましたよね。彼は、非公開アカウントでものすごくミソジニックなツイートをしていたことが暴露されて批判されました。何でそういうことになったのか。思うにそれは、呉座さんにアカデミック左派に対する反発があるからです。でも「なんで日本中世史の学者が……」と思うじゃないですか。なぜ、日本中世が専門の歴史学者がわざわざ現代の左翼に対して反発しなければいけないんだと。

アカデミックの世界の中にいないとなかなかわからないのですが、学問に対するマルクス主義思想の影響が理由なんですね。かつてマルクス主義の影響は学問のほぼ全分野に及びましたが、じつは、それが最も強く残存したのが歴史学なんですね。近代だけじゃなく、近世も中世も、ずっと過去にまで遡って影響した。つまり、大昔の人の行動もマルクス主義的な見方で見なきゃいけないというわけです。これはある種のドグマ(教義)です。

これに呉座さんは反発したんだと思います。学問上、明らかに辻褄(つじつま)の合わないことを言っているはずなのに、ドグマには忠実だからと評価されてしまうとか、事実に忠実な研究をしているのにドグマティックな批判を受けるとか、そういうことを見たり経験したりしてきたのでしょう。

だからこんなふうに考えられるわけです。往々にして左派は正義漢ぶっているけれども、何のことはない。あいつらはドグマに凝り固まっていて、現実よりも自分のナルシシスティックな良心を大事にしているだけだ。そういう心の弱い人たち同士で集まってお仲間になって、「もっとちゃんと現実を見ましょうよ、事実を見ましょうよ」と異論を言う人間を「黙れ、お前は民衆を信じていない」と排除している、と。

こうした見方には確かに一理あるんです。私もこの世界でいろんな人たちを見てきましたからね。こうした経緯で、呉座さんは左派全般に対する反発を持った、と私は推量します。そして左派の中にはフェミニズムもある。それで「フェミニズム、やだね」とミソジニーになっていったのではないか。

メディアであれアカデミーであれ、反体制派も病理を抱え込むという現象は間違いなく常にあります。要は、フラットに私心なく正しいことを言っているのか、それとも本人のナルシシズムのために言っているのか、批判するにしても賛同するにしても、そこを見極めるためには人間観察力が必要ですよね。もちろん、誰しもある種のナルシシズムはある。自分が正しい、自分は偉いんだというふうに世の中に提示したくて振る舞っているという要素は、聖人でない限りどんな人間にも必ずあるはずです。だから、人間なんてそんなものだと前提にしたうえで、「この人はナルシシズムが強すぎるよね」とか「動機が逆立ちしているよね」とか、個別具体的に見極めていく。普遍的法則はないけれども、これこそ人間が成熟していくうえで鍛えていかなければいけない能力であり、批判力を支えるものなのかなと思います。

ただし、圧倒的に体制派のほうが強いという今日の状況下では、現実の力関係を無視して左派利権とかドグマとか、「こっちにも弱点がある」みたいなことを言い募ることの政治的効果は極めてネガティブなものとなってしまいます。

劣化していく言論人

望月　先にも触れましたが、22年1月、立憲民主党の元首相の菅直人さんがツイッターで、橋下徹さんを「ヒトラーを思い起こす」などと批判して炎上しましたよね。それで日本維新の会の共同代表・馬場伸幸さんが議員会館の隣の部屋の菅さんのところに抗議文を持っていきました。馬場さんの言い分はどう聞いても論理破綻している印象だった。でも、どの新聞の見出しも「維新・馬場氏が菅直人元首相に抗議　両者は平行線」（朝日新聞）という感じでした。やはり本質的な議論の中身から見出しを取るべきだと思う。この一件を見てもメディアの報じ方がずれてしまっていると感じたのですが。

白井　菅さんと維新のいわばケンカは、デマの嵐になりましたよね。「諸外国ではヒトラーに政敵をなぞらえるのはタブー視されている」とか「場合によっては法的に禁止されている」とかと言って、菅さんが批判されていましたが、大嘘もはなはだしい。正確には、ヨーロッパやアメリカではあまりに安易に政敵をヒトラーになぞらえることが多過ぎるので、いわば軽く使い過ぎだという批判があるわけです。つまり、すごくありふれたレトリックなんですね。

そんなことはちょっと思い出せば誰にでもわかるはずです。アメリカだったら、オバマ大統領はごりごりのリバタリアン右派から「オバマケアとか国家統制みたいなことを強めやがって、オバマはヒトラーみたいだ」と悪口を言われていました。その後、トランプ大統領がオバマのやったことを総否定すると、逆に民主党側が「このデマ野郎、ヒトラーみたいなやつだ」と言って批判していた。要は「ヒトラーみたい」のインフレーションが起こっているわけです。だからこそ、批判としてあまり有効じゃないという話になっている。いずれにしろタブーだなんていうのは全くの嘘ですよね。

さらに、アカデミックの界隈に話を振ると、津田塾大学教授の政治哲学者の萱野稔人（かやのとしひと）さんがフジテレビの「Live News α」の中で、「フランスやドイツではヘイトスピーチを法律で禁じていて、その基準に従えば、菅直人元総理のヒトラー発言は、処罰の対象となる可能性が非常に高い」というふうにコメントし、猛批判を浴びたのですが、私はそれを複雑な気持ちで眺めていました。

じつは私は、萱野さんとは古い付き合いで、いろいろ世話になったこともあったんですよ。彼は『国家とはなにか』（以文社、２００５年）という本を出して注目されるようになったのですが、どちらかと言うと、人脈的には左派界隈から出てきた人というふうに言われていました。その頃彼と一緒に遊んだり酒を飲んだりして、考え方もいろいろ聞いていたからわかるのですが、もともと「自分は左派リベラルだ」というような自己規定はしていない人なんですね。人脈的には確かにそっちから出てきたけれども、ざっくばらんな人柄で、いいと思ったものはいいと言うし、悪いと思ったものは悪いと言う立場でした。そういうところも私は人間的に信用していたところがあったわけです。

けれども、萱野さんは変質したと思う。安倍政権が続く中でさまざまな仕事をこなしているうちに、「ただのイエスマン」になってきてしまった。13年の特定秘密保護法のあたりから「おや？」という話をするようになって、何かこの人は一線を越えてしまったのかと私は感じ始めた。それで集団的自衛権のことで、「いよいよこれは、政権べったりっぽいな」と思うようになったわけです。

ここ数年、会っていないので、彼に何が起こったのかわかりません。でも、友人として心配していたのは、よほど金に困っているのか、あるいは別の事情でもあるのかと。

望月　となると、お金の話になるのでしょうか。

白井　わかりません。ただ親しかった頃、萱野さんの自分語りを聞いているので思うところはあります。彼には左派への違和感があったわけですが、それを彼の家庭環境と関連づけていました。いわく、自分は裕福でない家庭で育った。そんな環境下で大学に行かせてもらってパリに留学もして、大学教授までになったわけです。自分の生い立ちが左派への違和感の原点になったようです。要するに「貧者の味方、弱者の味方みたいな顔をしているけれども、あいつらは所詮（しょせん）プチブルじゃないか」と。左派の連中は貧しい人たち、下層の人たちのリアリティというものをじつは何にもわかってない。そういう違和感は、私も理解できます。

けれども、そこから先が問題だと思う。もし彼の変質が金のせいだとしたら、自分の生い立ちをいわば担保にして、権力に近づいて金をもらう生き方を自己肯定していますよね。つまり、筋を通すなんていうのはブルジョワの余裕であって、そんなことを言っていられない貧者だっているし、まさに自分はそういうところから出てきたんだと。しかし、彼は今、貧者じゃないはずです。

望月　権力側からすれば、テレビに出て発信している人ほど有利に使いたいというのは常にあるはずです。だから萱野さんのように変節するのは彼らにとって好都合でしょうね。たとえば、ジャーナリストの櫻井よしこさんは元から右派というわけではなくて、どんどん極右的になっていったと言われている。近年、いわゆる言論人の中にそういう現象が増えてきた感じがします。それは、先にも述べたようにすごくお金になるからでしょうか。

白井　ただ、櫻井さんは我々から見るとだいぶ上の世代で、「なるほど、この人なりの人生のドラマがあって、こうなったんだな」ということを一応、感じないでもないんですね。

1990年代半ばに薬害エイズ事件の民事訴訟があって、厚生省（当時）や帝京大学医学部、製薬会社のミドリ十字社を糾弾する先頭に立っていたのが櫻井さんと小林よしのりさんじゃないですか。今から思うと驚くべき光景ですが。小林さんはあの頃から既に保守派のスタンスは鮮明だったけれども、櫻井さんはどっちかといえばリベラルな立場から国家の不正を暴き、糾弾するという立場を取っていたわけですよね。それがなぜここまで酷く変質して、ついにはKCIA（韓国中央情報部）の飼い犬だとすら言われるまでになったのか。いろんな事情がそれなりにあるんだろうなと想像させます。

それに比べると、テレビ出演の多い国際政治学者の三浦瑠麗（るり）さんとか社会学者の古市憲寿（のりとし）さんとか、一度も権力側と対決していない分、何かぬるっとした印象を受けますよね。

リスクを取らないから負ける

望月　菅政権が2020年9月にスタートした直後、日本学術会議の会員候補6人の任命拒否問題が起きました。9月末まで会長だった京都大学前総長の山極壽一(やまぎわじゅいち)さんは、実際の選別を行ったとされる官房副長官の杉田和博さんと直接ぶつかったはずですが、あまり発言してこなかった。霊長類研究所の研究費の不正使用問題もあったので、メディアに利用されたくないという気持ちが働いたのかもしれません。

ただ22年1月、山極さんがパーソナリティをやっているTOKYO FMのラジオ番組に私が呼ばれて対談した時、こんなことを言っていました。

かつては学者とメディアと政治家が三すくみ状態で、わりと緊張関係のある中でお互いに牽制し合っていた。けれども今は、メディアと学者が完全に政治家に負けてしまっている。なぜそうなったのかと言えば、メディアと学者の信頼関係が壊れてしまったことが大きい。権力側の見解と異なる研究者側の発信をかつてはニュースにしていたけれども、今はほとんど取り上げなくなった。たとえばコロナ対策でも、ひたすら政治家の判断や政府が選んだ有識者会議の分科会の尾身(おみ)茂会長の話をニュースにしている。日本学術会議だってコロナ対策について提言しているのに、全く取り上げない。そういう状態はやはり危ないんだと。

「だったらもっと発言してくれよ」という話でもあるのですが、メディアに限らず、学者も権力側になびいてしまっているところがありますよね。このままでは三すくみではない不健全な状態が続き、下手をすると、たとえば国会がオール改憲派になって、「みんなで台湾有事に備えて軍国化しよう」というような流れができてしまうかもしれません。すごく危ういところに来ている感じがしますね。

白井　山極さんがそういう現状認識をしているなら、なぜリスクを取った行動をしなかったのか。私はそのことにすごく不満を感じます。はっきり言って、任命拒否の問題は次の会長、東京大学卓越教授の梶田隆章さんに丸投げして逃げただけじゃないですか。今の話を聞くと、「何を今さら偉そうなことを言ってるんだ」というのが私の率直な感想です。もちろん、京大総長ともなれば名声は大きいだけにリスクも大きくなります。でも、それこそ「ノブレスオブリージュ」というべきでしょう。リスクを覚悟してやるのが義務だと思う。結局、メディアも学者もみんなちょっとずつリスクを取らなきゃいけないのに誰も取ろうとしないから、政治家に負け続けるような状況になっているんですよね。

山極さんは、総長になった当初はすごく期待されていました。前の総長の松本紘さんがすごくわかりやすいネオリベラルの人だったので。やはりちゃんと見識のある人にやらせなければというので推された。総長のような雑務係をさせて申し訳ないし、研究者としてもったいない、ただ、この学術界や大学を取り巻く流れを変えてくれるのは山極さんしかいないだろうと期待をかけられて総長になった。けれども、京大の立て看板撤去問題など、誰の言うことを聞いているのか知りませんが、文科省など上級機関の言いなりになっていた、あるいは別に命令もされていないのに忖度してやっていたというふうに思われています。全くの期待外れだったわけです。

「転向した」という話であれば、それはそれで一応、理解可能ではある。でも望月さんの話を聞くと、転向もしていない様子じゃないですか。だったら何で丸投げして逃げたんだというのが、私の不満ですよね。しかも結局、不正問題で霊長研は解体されて「ヒト行動進化研究センター」になったじゃないですか。つまり、全方位的に敗北していますよね。

望月　本音では菅政権の任命拒否を相当批判している感じだったけれども、議論が沸騰していた肝心な時に、なかなかインタビューに応じてくれなかった。私にもメールでの回答に一回だけ応じてくれ、少しだけ朝日新聞やNHKに出たりはしましたが。

白井　当時、梶田会長の振る舞いを見ていて「ちゃんと引き継ぎを受けていたんだろうか」と感じました。任命拒否が発覚してわかったことですが、山極時代ですでに、学術会議がある種の圧力をかけられているというのははっきりしていた。だからトップが代わっても「また来るぞ」というのは普通に予見できたはずです。それで実際にもっと強いかたちで圧力をかけられた。ところが、梶田さんはただ戸惑っているような感じで、「山極さんから何にも聞いていなかったんじゃないの?」と……。

望月　手続き上で言うと、山極さんが会長を辞めたのが9月30日で、10月1日から梶田さんです。9月28日に内閣府から任命の名簿が届き、候補者105人のうち99人を任命し、6人を任命しないことがわかった。学術会議が候補者名簿を首相宛てに、当時は安倍さんですが、提出したのが8月31日なんですね。提出から任命までの約1カ月、学術会議と官邸のやり取りは全くなかった。初めは外された6人が誰かわからなくて、事務局が候補者の名簿と任命の名簿をいちいち照らし合わせてようやくわかった。そこから対応をスタートさせたわけです。

何の水面下の動きもないまま、いきなり6人を拒否してくるというのは、想定できるようで想定できなかったのかもしれない。ただ、たとえば東大教授の政治学者の任命拒否は2回目でしたから、「またはねられるかも」というのは学術会議の幹部含めて覚悟の上だったはずです。

白井 そうやって細かい事情が明らかになってくると、「何やってんの？　何考えてるの？」と思わざるを得ません。政府に対する交渉も全く腰が引けていました。梶田さんは菅さんと会談しましたが、本気で闘おうと思ったら、あの時に辞表を持っていかなきゃダメですよね。

戦前よりも腐敗する社会

白井 歴史の記憶をひもといてみるならば、戦前のファッショ化していく際、いくつか重要な学問弾圧事件があります。中でも、京都帝大の「滝川事件」（1933年、政府が京都帝国大学法学部の滝川幸辰(ゆきとき)教授を赤化思想であると断じ罷免(ひめん)したことに対して教員や学生による抗議運動が行われた）は非常に大きなターニングポイントだった言われている。学術会議の問題が起きた時、改めてその経緯などをまとめた研究書を読んでみました。当時の様子を知って一番の感想は「あの時代のほうがずっとまともじゃん！」というものだったわけです。

当時の学者たちは決して唯々諾々（いいだくだく）とやられてなんかいない。京大法学部の専任教員は、まず全員辞表を出しました。その後に切り崩されてはしまうけれども、闘い切った人たちは本当に辞めて、立命館大学の法学部を作っていくことになります。

辞めた教授たちは偉かったんですよ。「こういう時に職を賭（と）して闘うのは当然である。ただし、若い諸君は辞表を撤回しなさい。君たちは京大法学部を再建すべき立場にいるのだから残りなさい。我々は玉砕する」というふうに言った。それで本当に辞めるわけです。学生たちもストライキはやるわ、退学届は出すわ、東京帝大の学生とも連携して猛烈なる抗議運動をやりました。

1933年と言えば日本が国際連盟を脱退した年です。31年の満州事変以降は狂気の時代だとイメージされているけれども、じつはあの頃のほうがよほどまともだったのではないか。今の社会のほうが深い意味でずっと腐敗しているということを強く思いましたね。

望月　誰も学術会議を辞めていないし……。

白井　法的に厳密に言えば、今、学術会議の会員になっている先生方全員、違法行為に加担しているんですよ。学術会議の定員は学術会議法で210人と決められているわけだから、それより一人たりとも多くても少なくてもいけない。それが6人も違っているというのは、やはり違法状態でしょう。違法状態をもたらした任命全体が違法だということになりますよね。つまり、先生方はみんな違法なかたちで任命されているわけで、違法行為の当事者じゃないですか。それでも平気な顔をして会員を続けているというのは、私には腐敗に見えるんですね。

望月　菅さんは学術会議を「閉鎖的で既得権益のようになっている」と批判しましたが。

白井　別に学術会議の会員になるのは、業界的には利権でも何でもありません。

望月　学術会議の会員かどうかにかかわらず、政府として学者というものをどういうふうに見ているのかという意味では、すごく重要な問題でしょう。学術会議は太平洋戦争の反省を踏まえて、時の権力やメディアに左右されず、人類社会の福祉に貢献するためにものを言う研究者の団体が必要だとして作られたわけです。そういう学者の提言に一定の敬意を払うというのは、学問の自由も含めて、いわば守るべき領域の話だと思います。それを既得権益集団的に批判するのは、ちゃんちゃらおかしいなと……。

白井　学士院とごっちゃにして「すごい終身年金もらえるんだ」という、フジテレビ解説委員、平井文夫氏の悪質なデマもありましたよね。学者全体の利害に関わる話ですから、ああいうデマを流すような攻撃があったら当然、反撃しなきゃいけない。ところが「学術会議もやはり問題がありますから」みたいなことを言い出す連中も学者のなかにいた。はっきり言って、いざ闘いが起こっている時に「それも問題だけど、こっちも問題だよね」という言い方をする言論人は、逆張りをやって目立とうとしているだけなんですよね。

悲惨な権威主義的パーソナリティ

白井　コロナ禍でも明らかになったことの一つに、技術系の勉強をしてきて、そしてその職業に入った人たちの、いわば社会性の未熟さ、社会観の貧しさ、精神年齢の幼さがあります。既に「3・11」によって表面化していましたが、これは要するに権威主義的なパーソナリティですから、悲惨なものですよね。

望月　なぜそうなるんですか。やはり歴史とか哲学とかを学ばないからでしょうか。

白井　まず学んでいないし、学ぶ価値がないと思っているのでしょう。「そんなのは意味がない」と。よくある理系バカですよね。そういう人たちの考えは「科学技術は日進月歩で次々に進歩していく。だから過去なんていうのはしょせん遅れた、劣った時代に過ぎない。別に学ぶべきことはない」というもの。そういう貧しいものの考え方をしていて恥ずかしくないのは、周りがみんなそうだから「これが普通」と思っているんでしょうね。

望月　アメリカでは、Z世代（90年代後半生まれ～）を中心に「ジェネレーション・レフト」

と言われるけれども、日本の若者は「ジェネレーション・ライト」みたいになっています。これもその影響なのかもしれませんね。

白井　コロナ禍で、何の意味もない「PCR検査抑制論争」が起きました。世界広しといえども、そんなバカげた論争が起きたのは日本だけでしょう。要するに、パニックを起こした政府が抑制したいから屁理屈を並べ立てたわけです。専門知を持った人間が「いや、おかしいよ。それはお話にならないよ」と一斉に攻撃をしていれば、政府の屁理屈はもたなかったと思います。

　ところが、まず厚労省に利害関係を持つ人たちがこぞって屁理屈の抑制論に乗っかった。その連中は利害関係があるからそんなものかなと思う。でも、注目すべきは利害関係なんかないはずの「ボランティア」ですよ。インチキな国策を応援したところで、その人自身が一銭も得するわけではなかろうに、医療関係者を名乗る人たちが一生懸命にツイッターとかで援護射撃をしたわけです。

　いったい何がこの人たちを動かしているのか。お金は入らないんだから、結局、そのこと自体から満足を得ているということですよね。つまり、政府が流布している抑制論に乗っかって「オレは政府の側にいるんだ」と大きな顔をして、それはおかしいと言っている人たちを「左翼だ」などと罵倒する。このこと自体が楽しくてしょうがない。そんな満足感を求めてボランティアに励むわけです。

これがいわゆる権威主義的パーソナリティですよね。その中には、自称医療従事者もいたと思うけれども、本物の医療従事者もたくさんいたと思う。もちろんそういう人たちは、コロナについての本当の意味での専門知なんて持っていない。ただ知ったかぶりをして「政府の言っていることは正しい」と一生懸命、いわばエア御用で運動しているわけです。そこにはある意味、日本の医学系も含めた技術系の人たちの頭と心の未熟さ、貧しさ、幼さがよく表れていたと思うんですね。

望月　科学にのっとって考えれば、検査抑制論は至極（しごく）おかしいと判断できるはずです。けれども当時、たとえば「偽陽性もある」と厚労省の技官ががんがん記者たちに流している中で、知り合いの厚労担当の記者でさえ「いやー、偽陽性があるらしいですから一概に増やせばいいということではないようですよ」と言っていました。厚労技官が意図的に流している情報だとわかっていても、それを鵜呑みにするほうが楽だとか攻撃されづらいとか安心だとか、そういう性向が権威主義的パーソナリティなんでしょうね。

白井　初期には騙されたのもある程度は仕方がなかったと思います。しかし、諸外国の情報も入ってくるし、国内でもPCRをやるしかないんだという断固たる論陣を張った人たちもいた。ですから、コロナ禍が始まってから一定程度時間が経った時点で、言い訳は利かないですよね。

ましてや、記者は正確な専門知識を得なければならない義務がある。ところが、官僚が間違ったことを言うはずがないなどという前提で仕事をしている記者がいる、ということですね。まあ……劣化ですね。

こうして情報提供が劣化して、そのゴミ情報に、とにかく反対派を叩きたい、望月さんのSNSとかに張りついて、延々とクソリプしているあの雲霞（うんか）みたいな連中が飛びついて群がっていく。この人たちの中には、おそらく専門的な職業に就いているような人が相当数いると思う。実生活で金も結構稼いでいるのに、「いったい君、何が不満なの？」という人たちが。

望月　詩織さんの件で驚いたのは、訴えられた三人は彼女を誹謗中傷するイラストを投稿したり執拗にリツイートしたりしていたのですが、それなりに有名な漫画家のはすみとしこ氏と都内の開業医とクリエイターだったこと。白井さんが言ったように、それなりの社会的地位とお金がある人が「詩織はあばずれだ」と叩いていたわけです。こういう人たちは何が不満なんでしょうか。他にも取材先でそれなりに社会的に地位・肩書のあるような男性たちが、詩織さんを疑問視するような声を耳にしました。日本社会全体にミソジニーの空気が流れていますよね……。

白井　もちろんミソジニーですし、いったい何がこの人たちをこうしてしまったんだという問題は、今日における重要な社会学的テーマだと思います。日本に限らず、アメリカでもトランプ現象などのかたちですごく強く表れていますから。

望月　今、20～30代の若い男性の中には、#MeToo、#WeTooの盛り上がりに反応して、逆に「俺たちが差別されている」と感じている人もいます。21年11月、電通総研が発表した資料によると、「最近は男性のほうが女性よりも生きづらくなってきていると思う」に「とてもそう思う」または「そう思う」と答えた人の割合は、18～30歳で50・9％、31～50歳で51・3％、51～70歳で51・9％もいました。全世代の約半数が、「女性よりも男性のほうが生きづらくなってきている」と感じていることになります。

また「女性活躍を推進するような施策を支持するか」については、高齢者よりも中年や若年男性ほど「女性活躍を推進するような施策を支持」せず「フェミニストが嫌い」であることも判明しました。

特に若者世代は、自分たちが正規雇用にさえなれないような状況がどんどん拡大している中で、#MeToo、#WeTooで女性の権利を声高に主張されることに「じゃあ、俺たちは何の権利を主張すればいいんだ」と、危機感のようなものを持つ人たちが増えているのだと思います。

一方で、たとえば私の知り合いの慶應大学の男子学生は、校内セクハラの問題を学生団体として取り上げて、大学の経営者側にしっかり対応するように要求するといった活動をしています。ただ、そういう若者は、いろんな意味で生活におけるゆとりと学習、理解力があって社会に対する問題意識も強い。だからこそ、そういう社会を変えていくという活動ができるのかもしれない。しかし、全国的にみた場合、まだまだそれは一定数にとどまっていて、総じて見ると「いや、俺たちが明日就職できるかもわかんない時に#MeToo、#WeTooじゃねえよ」のほうなのかなという気もしています。

また、森喜朗さんの「女性は会議で発言が長い」の言動が問題になった時には、オンラインで若手の女性たちが立ち上げた森氏への処遇の検討と再発防止を求める署名に対して、60代以上のご高齢の方々が「女性蔑視だ、とんでもない」と憤っていたとお聞きしました。その中心は、やはりある程度インテリで生活にも余裕があってみたいな人たちだとは思うのですが。

白井　どうなのかな。私は、経済状況というのはあまり関係ないのではないかという見方に傾いているのですが、これはまだ学問的には証明されていないことです。実感レベルの話をすると、私や望月さんの世代も、ある意味屈折していますよね。たとえば、フリーライターの赤木智弘さんです。彼の「希望は、戦争」という叫びには「確かにそうだ」という部分があった。要するに、「俺たちが苦しんで犠牲になっている時に、あんた方、社会正義が好きな連中は何してくれましたか。もううんざりだ」と。そこから「もうきれい事はいいよ」みたいなメンタリティになっていくわけです。

セクハラに目をつぶる記者心理

望月　2018年にテレビ朝日の女性記者が福田淳一財務事務次官のセクハラ問題を告発した時、そういう声を上げる人たちを守るために、朝日新聞の女性記者が中心になって、すぐにWiMN（メディアで働く女性ネットワーク、Women in Media Network Japan）という団体を立ち上げたんですね。

女性記者は取材先でいろいろセクハラを受けます。でも、どこか暗黙の了解のように受け流してきた。それじゃいけない、これからはきちんと声を上げていこうということで、メディアに関わる女性たちが一緒になって動き始めたわけです。

私も立ち上げメンバーの一員として、各新聞社の知り合いの女性たちに声をかけました。ところが産経と読売の私が声をかけた記者は、政府にもの言う団体みたいなイメージもあったので、協力したい思いは強いけれども、会員だと会社側が知った時にどう処分されるかわからないということで断られました。東京や朝日、共同通信などの記者は普通に名前を出して会員になっている人がほとんどです。中には名前を出していない人もいますが、私が声をかけた人たちで会社に漏れたら大変だからと断ったのは、産経と読売の記者だけだったんですね。

白井　読売、産経はその程度のことでも魂を売らないと給料をもらえないということなんですかね。

望月　世の中がジェンダーだ、#MeTooだと言っている時に、メディアの中のほうが声を上げられないというのは、やはり怖いですよ。

白井　誰かが「ファーストペンギン」にならないと変わらないでしょう。

望月　福田さんのセクハラ問題では、彼の音声が公表されて騒ぎになりましたが、テレ朝の前に、ある新聞社の女性記者が声を上げていたとも言われています。財務省に抗議するために会社側にも申し立てた。でもその後、彼女は異動になったと聞きました。実際、そういう苦情を聞いた時に「じゃあ、異動させよう。他の記者に担当させよう」と対応してきた会社は、多いと思うし、それでお茶をにごして議論せず、闘わずに済ませてきたわけです。

白井　いろんな意味で異様な事件でしたね。私が感じた異様さの一つは、メディアが言ってみればかなり意図的に大物官僚に対して若い女性記者をつけて、それで情報を取ろうとしてきたということです。要はキャバクラ接待みたいなことじゃないですか。構造的セクハラと言ってもいいと思いますが、そういう古くからの土壌の上で福田事務次官の事件が起きたわけです。もう一つ、セクハラ的な言動はいろんなレベルでハードなものからソフトなものまであるでしょうが、ちょっと常軌を逸していた。日本の官僚のトップと言われる財務官僚のトップが「うんこ」とか「胸触っていい」とか、口を開けば最低レベルの下ネタしか言わないなんて、この国はやはり崩壊してきていると感じましたよね。

望月　福田さんは若い頃から仕事ができる人として知られていて、まさにエリートコースを歩んできました。一方で、東京新聞を含めて記者たちの評判を聞くと、主計局の課長や課長補佐時代からセクハラがすさまじくて、言葉だけじゃなく、二人きりになった瞬間に抱きつかれるという女性記者もいたようです。被害者がすごく多くて、福田さんの名前が出ると恐怖感がフラッシュバックして、「ごめん、駄目だ」と話せなくなる人も取材でいましたし、一回襲われて以降、取材に行く時は常に二人で行くようにしていたという人もいました。

彼のセクハラはメディアの中では昔から有名だったわけです。でもたとえば、懇談会ですぐ横にいる女性記者の手を握る。それを被害者の女性記者は「あ、握られた、アハハハ」と笑いで受け流していた。ただし、終わったあとにみんなで「気持ち悪いよね」と文句を言っていた。そういうことがずっと繰り返されていたんですね。その代わり、事務次官はアポが取りづらいのに、女性記者は基本的にみんな電話一本でアポがさくっと取れると。それで会いに行くと、男性記者たちが廊下にずらっと並んで待っているわけです。そういうふうに結局、便宜供与を受けているというのがあったから「おかしいことをしていると思ったけれども、言い出せなかった」と話す女性記者もいました。

当時のW・iMNの会合で、「ある意味、私たちがどうぞどうぞと接待して彼や他の取材先を増幅させていた。私たちがもっとしっかり声を上げていれば、こんなことにならなかった」という話になりました。告発したテレ朝の女性記者は、財務省の他にも国税などを担当していた。だから財務省の記者クラブの女性たちとほとんど話したことがなかったとも聞きました。福田さんの酷さを知っている人たちは「襲われるから、絶対二人きりになったらダメ」とか「気持ち悪い」とか情報を共有していた。そういうコネクションが彼女にはなかったわけです。

ただ、告発の1年ほど前にセクハラを受けていてある程度は酷さを知っていたし、経済部の部長からは「気持ち悪いならもう行かなくていいよ」と言われていた。ところが事件当日、NHKの7時のニュースが森友学園の土地値引きに関わるゴミ問題で、実際は運び出していないにもかかわらず、財務省の職員が「トラックを何千台も使ってゴミを撤去したと言ってほしい」と、近畿財務局と学園側に口裏合わせを要求していたというスクープを流したんですね。それで彼女は裏を取らなければと、「気持ち悪いけれども背に腹は代えられない」と福田さんのところに行った。それであのセクハラを受けたわけです。

要するに、私たちメディア側がそんな人間をネタ元だからと「わっしょい、わっしょい」やっていたことが引き金になった事件とも言えますよね。だから私たちがいけない、私たち自身の責任だという反省は、すごくこれまでの私を含めた女性記者たちの中にはあるんですね。

白井　実情がよく分かりました。福田氏の行状は有名だったわけですよね。ならば望月さんたち女性記者たちよりもずっと、管理職クラスの責が重いでしょう。福田氏とは、若い女性記者を露骨に依怙贔屓し、その見返りに性的な接触を求める人物だった。こんな人物は、ボイコットされるべきだった。各社はそれをやらずに「女を送っておけばネタがとれる」という安易な発想をしたために、福田氏はますます思い上がった。そういうプロセスだったと思います。

第4章
癒着するメディアと権力

なぜ「CLP」を告発したのか

望月　ネットメディア「CLP（Choose Life Project）」が立ち上げの頃、立憲民主党から半年ほどの間に約1500万円の資金提供を受けていたことが2022年1月に発覚してニュースになりました。ニュースになったきっかけは、ジャーナリストの津田大介さん、元TBSアナウンサーでエッセイストの小島慶子さん、フォトジャーナリストの安田菜津紀さん、朝日新聞の南彰さん、そして私という番組出演経験のある5人が第三者の調査を求める抗議文をネットで公表したことでした。

じつは、私たちはこの事実を年末に知って年明け早々に数回、CLP共同代表の二人と話し合いをしていたんですね。一人は「全ての責任を取って辞任する」と言っていた。けれども問題を第三者委員会に調査させることに、当時はまだ消極的だった。一部の人間だけでうやむやにしたら、やはりジャーナリズム失格ですよね。いろいろ悩みましたが、5人で話し合い抗議文を作り、一斉にツイートして抗議をしたことを発信しました。

結局、CLPはツイッターに謝罪文を出すなどして番組の制作・配信を一時的に中止し、第三者による調査に入りました。一方の立憲は、メディアへの支援は違法ではないが不適切だったとし、「フェイクニュースなどが横行する状況に対抗するための新しいメディアを作りたいという CLP の考え方に福山哲郎前幹事長が共感した」「配信内容などに影響を与える意図はなく、実際に一切番組内容などに関する要求は行っていない」「資金提供を公表せず、疑念を与える結果となった」などと釈明しました。

CLPはTBSの報道制作会社の出身者たちが「公共メディア」として20年頃から本格的に運営し始めたネットメディアです。私は彼らの説明どおり、クラウドファンディングや市民サポーターの寄付で運営しているとばかり思っていました。年明けの話し合いで、軌道に乗っていなかった時期に立憲の広報を広告代理店の博報堂やブルージャパン経由で請け負っているウェブ制作会社の伝手で、立憲側にプレゼンして資金提供を受けるようになったといった経緯を初めて知りました。

私たちはCLPとの話し合いの中で、「いったん番組を閉じて第三者を立てて調査したほうがいい」と何度も伝えましたが、終始、消極的でした。謝罪文でも判断を先延ばしして、改めて対処方針を公表したのは3日後でした。正常な判断ができないほど混乱していて、彼らだけでは決められない事情もあったのだろうと思います。要するに、問題に対する認識がかなり甘かったわけです。

CLPはそこまで知られていないネットメディアかもしれませんが、意気に感じて応援していたリベラル系の言論人は結構いました。そういう人たちにすると、やはり「騙された」とがっかりすると思う。私たちの行動に対して「放っておけばいいのに」といった批判もありますが、問題を知ってしまった以上、黙っているわけにはいかないんですね。もし、黙っていて反リベラル側から告発されたら、それこそ収拾がつかないほど炎上するでしょうから。

白井　筋論から言うと、立憲からお金が流れていたのだから、最初の段階から資金提供元を公開するしかなかったわけです。出演者が裏切られたと感じるのは、「そんな大事なことを言わないなんてフェアなやり方じゃないよね」という不満が大きいでしょう。さらにお金を払っている視聴者がいます。この人たちも同じく裏切られた気分だと思う。だから、まず「今まで公開してこなかったことはまずかった」と謝罪をする必要がありました。

それから人脈の問題が言われています。公平中立に見えて、立憲民主党に近い人たちが実質的な作り手ではないか、と。しかし、立憲と、広告代理店や制作会社そしてネットメディアとのつながりはある種不可避だったろうと思います。どういう業界でも、誰でも人間関係を介して仕事をすることになる。たとえお金の流れがなくても、あれは立憲人脈でやっているというふうに見えた。つまり、人間関係を本当に無色透明にすることは実際には不可能なわけです。そうであるからこそ、むしろ公然とするほうがいいということでしょう。

一方の福山さんの説明、「立憲の宣伝をしてもらうためではなくて、フェイクニュースをやっつけるという理念に共感をしたから支出をした」というのは論理としてはそれなりに筋道が通っていたと思います。実際、立憲に忖度する番組作りが行われていたとは私には見えなかった。そういう意味では、立憲の側から圧力がかかったような事実はないし、経営的に一人立ちできるまでの補助だったわけです。

今わかっている限りだと、両者の説明には虚偽がないように見えます。だから、危惧しているのは次の展開で、要は「叩き過ぎ」になることなんですね。それはまずいだろうと思います。

左派系メディアは金がない

白井　メディアが充実したことをやろうと思ったら、金は絶対に必要でしょう。でもメディアに限らず、リベラル・左派系グループに共通した問題点は、とにかく金がないことなんですね。他方、与党側は「じゃぶじゃぶ」あります。まず、さまざまな企業から流れてくる金がある。さらに国家の権力と癒着したいろんな業界だったり、何かよくわからないさまざまな天下り機関だったり、官房機密費なんてものまであるわけで、とにかく金払いがよろしいスポンサーがいくらでもあるわけです。

それと比べたら、左派は本当に手弁当でやっているところがほとんどです。実際、私も講演の仕事をさせてもらったりするけれども、普通の市民団体の講演料は微々たるものです。例外的に資金力があるのは、労働組合系とかお医者さんの団体とかだけれども、なぜ彼らに資金力があるのかと言えば、強制的にお金を取り立てているからです。

そういう意味で自民党系統は、税金を筆頭に、さまざまな方面から取り立てた金でもって自分たちの権力を強化する宣伝やら言説やらを流布するという強大な力を持っているわけですよね。それに対抗していくうえでは「立憲から1500万円」なんて、じつに小さな話ですよね。自民党と電通や吉本興業がいかに手を組んでいるか。情報操作や世論操作のために何億、何十億、何百億と流れているか。彼らはそういう単位の金で、いわば情報流通と世論を買っているわけです。それと引き比べた時に、やはり叩き過ぎになってはあかんだろうと思いますね。

望月 巨悪が眠っているのに、ということですね。確かにCLPはもう続けられないとしても、頑張ろうという意気込みも才能もセンスもあった彼ら自身が結果としてつぶれてしまうのは、それはそれでよくない……。今でも考えると胸が痛みます。

白井 そもそも左派系メディアが何でこんなに金がないのか。私は「日本の資本家が一番悪い」と思っているんですよ。右派の側には、たとえばDHCとかアパホテルとか高須クリニックとか、私から見ればみすぼらしいとしか見えないけれども、それはともかくご自身の信念を世の中に拡散したいと私財を投じている資本家がたくさんいるわけです。それに対して、とにかくリベラル系の団体がきついのは、資金提供してくれる資本家が全然ない。CLPにしても、いろいろスポンサー探しをしたけれども見つからなくて、しょうがないから政党交付金を持っているところへ行こうという話になったのでしょう。

要するに、フェイクニュースをなくそうとかもっと日本を公正な社会にしようとか、そういった動機で儲けた金を使おうというブルジョワジーがほぼ全くいない。このことが非常に問題だと思いますね。もちろんそれだけではなくて、労組の衰退や新聞社が儲からなくなったことも影響している。ただ全般的に言って、左派の資金不足は昔からで、カンパ頼りというのが体質だったわけです。

望月　新聞社が儲からない……痛いほどよくわかります。官房機密費なんかも領収書いらずで本当に使い放題ですからね。沖縄県知事選では3億円とも、桁違いの額が飛び交っていると聞いています。機密費ではないけれども、安倍さんの「桜を見る会疑惑」でも、自民党の国会議員だった河井克行・河井案里（あんり）夫妻による参院選買収事件の1億5000万円でも、その元手は政党交付金などから出ているでしょう。それに比べたらCLPの額はものすごく小さい。

もっと全体のゆがみを見ないといけないですよね。CLPが引き起こしてしまったことはメディアとは何かという点で非常に問題だったけれども、それだから即アウトというやり方をしてしまうと、ただでさえ脆弱なリベラル側のメディアは育たなくなってしまう。ただ同時に、弁護士をはじめとした第三者委員会などの調査を通じて、なぜ、立憲マネーに頼りかつ隠すことを決めたのか、との問題には、向き合わざるを得ないし、そこにおいては十分に検証し、反省を重ねてほしいと思います。そこからもう一度、再起してほしい。皆まだまだ若いので本当にもったいない。

白井　だから、本当に非難されるべきところは「資金の提供元を公開していなかった」という一点のみなんですね。

昔から反体制派というのは、資金に苦しんできました。お金に困って、筋の悪い資金を手にしてしまったという事例は昔からあります。たとえば、大正時代。日本一有名なアナキストの大杉栄（さかえ）が、こともあろうに、内務大臣・後藤新平から資金提供を受けていた事件がありました。あるいは、戦後でいうと、60年安保の時に全学連主流派として大暴れしていたブント（共産主義者同盟）の資金源になっていたのが、「右翼の大物」「フィクサー」とも言われた田中清玄（せいげん）でした。さらに、田中はそのお金を経団連からもらっていたと証言していたりして、よくわからないところもありますが、ブントの面々が田中の世話になったのは間違いありません。これらの例は、いわば「敵」から資金提供されたということで、その当時はスキャンダルになりました。

望月　大杉栄が後藤新平からお金をもらったというのは、どういう意図があったのでしょうか。

白井　岩波書店から出ている大杉栄の自叙伝に、その時の経緯が書かれています。

当時雑誌を発行していた大杉ですが、すぐに発禁処分を受けてしまう。何度も何度もそれが繰り返されて、大杉は困り果ててしまった。発禁になると、金銭的にも苦しくなります。そこで、大杉は一計を案じ、内務大臣のところに直談判に行きました。「金をよこせ」と。こんなに経済的に追い詰められ窮迫(きゅうはく)しているのはあなたのせいだ、だから、あなたは私にお金を払う義務がある、と理詰めで言ったんだそうです。

大杉の話を聞いた後藤新平は器の大きい人で、それも一理あると考えて、500円払ってしまった。

望月 当時の金額ですから、大きな額ですよね。

白井 大杉にお金を渡すときに後藤は、アナキズムは激しすぎるから国家社会主義くらいにしてくれないか、と言うわけです。大杉はそれは断ると言いつつ、後藤から金を受け取りました。もちろん後藤のほうにも、お金で懐柔(かいじゅう)できればという思惑もあったのだと思いますが。この件は露見して、やはり大スキャンダルになりました。

望月 田中清玄がブントにお金を渡したのは、いわゆる工作的に渡したということでしょうか。

白井 ちくま文庫から出ている『田中清玄自伝』(2008年)に、その時の経緯が書かれています。

田中は戦前、共産党員として激しい活動をやって、治安維持法で逮捕されました。獄中にいる時、田中の逮捕に責任を感じた母親が自殺したことを伝えられた。その後、田中は転向して右翼になります。

ブントは共産党の中央と対立して飛び出した血気盛んな若者ばかりです。そんな若者たちに、かつての自分を重ねてシンパシーを抱いた面もあったのかもしれません。しかし、同時に権謀術数もあった。共産党が一枚岩で団結している状態は手ごわい。だから、左翼が分裂しているのが、右翼にとっては都合が良いと。ブントを援助することで共産党を弱体化させたかったわけです。それから、田中は右翼だけれど、反岸信介だった。だから、安保反対運動を大きくして、岸を追い込みたかった。

「公正」は、それほど大事なものか

白井 CLPの件についてはメディア関係者が金に高潔さを求め過ぎると、変なことになる気がします。新聞にしたって、押し紙問題やら、与党に陳情して消費税の軽減税率を認めてもらったりとか、いろいろありますからね。広告主だから原発を批判できなかったということもあった。思うに、メディアにとって本質的なのは「言論の自由」を具体的にどう確保するのかということのはずです。それなのに1500万円の立憲マネーを隠していただけで、無期懲役みたいになったら酷いですよね。下手をすると、単に「出る杭は打たれる」という話になってしまいます。

望月 確かにそこは考えないといけないですね。何らかのかたちの再起を念頭に置いて彼らときちんと向き合っていかないと、頑張っても結局こうなっちゃうのかと、志を持っているような人たちが諦めてしまうかもしれない……。

白井　そもそもネットメディアにおいて「公正」という観念は、それほど大事なものでしょうか。

望月　放送法の対象ではないので、報道倫理としてどうかという話になりますが、彼らは全く新人じゃなくて10年、15年と報道に携わっている。だから公党からそれだけのお金をもらったら、まずはオープンにするといういわば原則は十分にわかっていたはずです。

白井　テレビ局のように電波という総務省が管轄する公共インフラを使っているわけではないし、NHKのように受信料を取っているわけでもない。であるがゆえにインターネット番組は「政治的に公平であること」などを定めた放送法の埒外（らちがい）にあるわけじゃないですか。そう考えた時に、ある種の党派性はあって当然のものだと思うんですね。

望月　だからこそ立憲マネーを公表すべきだった。でも、それを隠していた。しかもツイッターやフェイスブックで「手弁当でやっているんでお願いします」と制作会社のスタッフにつぶやかせていて、制作会社経由でお金を渡していたんですね。それは放送法云々とは関係なく、やはり悪質に見えてしまうわけですよ。応援していた人の中には、わざわざ差し入れを買って持っていったり、自分の仕事が終わってから手伝いに来ていたりという人たちがいたわけです。

要は、彼らの嘘に騙されたんですね。そこはやはり皆ショックを受けていました。

ただ、番組出演者に対しては「それは言わないでください」という制約は全くなかった。だからテレビで発言できなくなっているような人たちにしたら、「しっかりやっているな」と非常に好感がもてるメディアではあったわけです。

白井 そう考えると、じつは一番悪かったのは公表しなかったことではなくて、隠し切れなかったことなんじゃないのか、何でもっと巧妙にやらなかったのか、という話かもしれない。金の出どころは知らないほうがいいというのは、世間によくあることじゃないですか。

望月 そういう意味では墓場まで持っていってほしかったとも思ってしまう。でも私の場合、知った以上は目を背けられません。「公共メディア」を掲げてサポーターを募っていたので、一般の方を騙したことにもなるわけです。だから第三者を立ててきちんと調査結果を公表して、それで一回たたんで、それからどう再起するかを考えるというのが一番シンプルでいいと思うんですね。

もちろん、第三者が入ってきちんと調査したら、いわば立憲の広報部隊である博報堂、ブルージャパン、制作会社へのお金の流れも明らかになるでしょう。特にブルージャパンには立憲の元事務局長の秋元雅人さんがいます。秋元さんはＳＥＡＬＤｓの活動を民主党・民進党マネーでずっと支援していた人物です。彼らは政治的な情熱もあるし、ネットを活用するノウハウも持っているから秋元さんは非常にＳＥＡＬＤｓをかっていた。ブルージャパン自体、秋元さんがＳＥＡＬＤｓのメンバーに作らせた会社とも言われています。その延長でＣＬＰの問題が起こった面もあります。こうしたことはすでにネット上で言われていることですが、ＣＬＰは自分たちのこと以上に第三者の調査によって立憲マネーをめぐる構図が明らかになることを恐れていたのかもしれません。

白井　今の説明を聞いて、リベラル側も少しは頼もしいところがあるとむしろ見直しました。要するに、元気と行動力がある若者をどうやって生かしていくか、その力を発揮させていくかという時に、どこかに受け皿がないとまずいと考えて、会社を作ったということですよね。そういうことをちゃんとやってきたんだなと。

政治的にちょっと騒ぎを起こしたというだけで、企業に就職できないという話もあるじゃないですか。今のへたれ経営者どもは、自分に自信がないから、元気のある優秀な若者を見たら恐れることしかできないわけですよ。でも、あんなに行動力のあるＳＥＡＬＤｓの諸君を遠ざけてどうするんですか。それこそ60年安保でブントで活動した人たちの就職先の一つは山口組だった。有名な田岡一雄三代目組長の時代です。こちらは逮捕歴のついた人も多く、お尋ね者同然だったわけです。

ＳＥＡＬＤｓには反市民、反社会的なところは毛頭ありません。あの程度でも、政府に盾突いたなんてことになっているのが今のへたれ日本の精神です。だから秋元さんは、助けるところがなければならないと、彼らの受け皿になるようなシステムとして会社を作ったようにも見えます。ただし、会社のメイン業務は何か。立憲の広報を請け負うことです。そうすると、経営を政党交付金で回していくということになってしまう。それだけで成り立っている会社というのはいかにも体裁が悪いですよね。やはりもう少し市民社会内での独立性、自立性というものがないといけないという話なのですが、その塩梅(あんばい)が難しいわけです。

望月 政党交付金を受け取ってはいませんが、当然、共産党マネーというのがありますよね。彼らはステマ（ステルスマーケティング）的なことをやっているのかどうか。

白井 共産党の仕事を請け負うのは、共産党系の会社だろうと思います。これはどの会社が共産党の系統なのかは、まあ玄人にはすぐ見分けがつきます。

望月 実際の支持ネットワークで回していて見える化しているなら、ステマではないでしょうね。そういう意味では、公明党もステマできそうにない。共産党の国会議員は、癒着だと思われるのを嫌って、会食ではどんなに安くても割り勘を徹底しています。公明党で言えば、衆議院議員だった遠山清彦さんが日本政策金融公庫のコロナ対策融資の口利き仲介で、業者から毎回10万円、100件で1000万円くらいもらっていたという事件がありましたよね。それを銀座のクラブ通いに使っていたと言いますから、創価学会も大迷惑でしょう。

金がないなら借金してやれ！

望月　ネットメディアにしろ市民運動にしろ、手弁当だけでは絶対に続けられないですよね。CLPで言えば、番組の制作費はもちろん、自分たちの生活もありますから、それを回していくだけのお金を確保しないといけない。CLPはクラウドファンディングで3100万円くらい集めて、その目途を立てた。だから立憲の支援は必要なくなったわけです。問題が露呈するまで最近では、月300万円くらい入るようになっていたんですね。

CLPが経営的に軌道に乗り始めたのは、20年5月にあった検察官の定年を延長する検察庁法改正法案の問題がきっかけでした。安倍政権に近い黒川弘務東京高検検事長を検事総長にするためで「権力の私物化だ」などと、ツイッターを中心に抗議運動がバズった。その時にCLPは野党各党の国会議員たちが議論する緊急イベント的な番組を流したんですね。その様子が東京新聞や朝日新聞、NHKでも取り上げられた。それで、特に永田町で「こういうリベラルメディアが出てきたんや」という認知が一気に進んだわけです。

その番組は質としては「公正」という意味でもすごくよくできていたと思うのですが、20年8月に立憲から「動画制作費」として約450万円を受け取っていた。これが立憲マネー1500万円のうちの最初の支援金です。つまり、立憲の広報活動への対価と見られてもしょうがない部分があるんですね、要するに「ステマじゃないか」と。

はっきり言うと、自民党マネーに劣らず、立憲マネーもおいしいわけですよ。でも、もともと政党交付金でしょう。だから、たとえば「ポリタスTV」などを運営している津田大介さんは「そういう資金に頼ったら終わりだと思っているから、政策金融公庫とかから借りている」と言っていました。要は、金がないなら借金してやれよというわけです。その意味では、CLPも立憲もかなり甘かったと思います。

いずれにしてもネットメディアはお金の集め方、使い方をきちんと公開したほうがいいと思う。たとえば、アメリカのNPO報道機関の「プロパブリカ」は主に寄付で運営されていて、大口寄付者をオープンにしている。「金は出すけど口は出さない」という前提で寄付を集めているんですね。そういう運営の仕方が参考になると思います。

白井　津田さんの「もらうな、借りろ」というのは正論ではあります。

望月　ネットメディアには政策提言や行政の広報などをやっている大学生が始めたような団体もあります。代表的なものはPoliPoliやPOTETOですが、彼らは自民党からもお金をもらって動いていると聞きました。一方で、時事YouTuberの芸人で「笑下村塾」を運営しているたかまつななさんのように、自分でお金を借りて結構ぎりぎりで政治的な発信を続けている若い人たちもいます。そういうリベラル派はCLPにすごく怒っているんですね。「保守派のやり方が嫌だからこっちは歯を食いしばって自前でやっているのに、しれっと同じことをして何だ！」というわけです。

白井　どれくらい仲間意識みたいなものがあるかというのがポイントだと思います。つまり、今回は許せないとして、じゃあ、もう一生許さないになるのか。結局、それは人間的信頼関係があるかどうかの問題になるでしょうね。

望月　私の場合、すごく落胆して怒っているけれども、彼らの真面目さもよく知っています。番組はニュースや時事問題だけでなく、映画などの文化や芸術、環境、学術含めて非常に幅広い分野にわたって作られていました。だから彼らが完全につぶれてしまうのは避けたい、彼らが持っている力をまた絶対に活かしてほしいとも思っています。けれども、番組にゲストで出ただけという人の一部はやはりとても怒っていると感じました。上の世代の中には「責めるだけじゃ育たないよ。もっと悪いこととして開き直っているやつはたくさんいる」という人もいます。

白井　上の世代はわりと寛容なのではないですか。先の例のように、60年安保闘争では、全学連に経団連マネーが流れていたと言われる。当時の財界主流派が岸を退かせたかったという事情があったと、田中清玄は証言しています。世の中には、敵の敵は味方ということがよくあるわけです。そういう時代を知っている世代からすると、今回の騒動がどう見えるか。

保守派の強いところは「いい加減さ」でしょう。潔癖症の人がいないんですね。だから、しくじった仲間に対して「しょうがねえやつだな、しばらく巣ごもりしてもらおう」という話で済ませられる。そういう点は、見習ったほうがいいと思います。反省すべき点を反省して、今後は仲間として助けていく。それでいいじゃないですか。

「Dappi」と同一化する危険

望月　ＣＬＰに対しては、21年10月に国会で立憲が追及した右派のツイッターアカウント「Ｄａｐｐｉ」と同じじゃないかというような批判もありました。

白井　それは全く見当違いの批判で、Ｄａｐｐｉは誹謗中傷の風説の流布を専門にツイートしていたわけです。あんなものは言論なんかじゃなく、悪質なプロパガンダです。しかも、自民党との密接な関係が言われている。政府与党が野党を貶(おとし)めるデマを流していたとしたら、それこそ大問題であって、徹底追及されなきゃいけない話なんです。

望月　ＣＬＰはきちんと取材して番組を作っていた。だから問題自体、ぜんぜん違いますよね。

白井　ただし、ある種のステルス行為という点では共通点があります。Ｄａｐｐｉの場合は、一般人がこういうことを言っていると装って、じつはウェブコンサルティング会社の業務として、自民党から委託を受けてやっていたというステルスそのものです。ＣＬＰの場合も立憲から資金が流れていたことを隠していた。だからステルスマーケティング行為が疑われたわけです。

望月　しっかりした番組作りをしていたとはいえ、与党を批判する議論が多かったのだからステマと言われても仕方がない。そんな言い方をする人もいます。けれども、フェイクを流すのとは全く別次元の問題ですよね。ＣＬＰとＤａｐｐｉが同じだと批判することで、逆にＤａｐｐｉ問題、自民党への追及を弱めようとしているのでしょう。

白井　ただ実際、その矛先（ほこさき）は鈍りましたよね。22年3月現在、立憲の参院議員二人が名誉毀損の損害賠償を求めて裁判で争っているけれども、もし、ＣＬＰ問題が起きてすぐに福山哲郎前幹事長が責任をとって議員を辞めていたら、もっと鋭く追及できたはずです。そうしたらまさにピンチはチャンスで、彼自身の評判も立憲の支持率も上がったでしょう。

望月　先に在阪の準キー局ＭＢＳと維新との関係に触れました。他にも21年12月に読売新聞大阪本社が大阪府と包括連携協定を結んだりしました。世の中を見ると、政権与党とつながっていたほうがいろんな意味でお得だと思っているメディアが延々と、堂々と、公然と権力にすり寄っているわけです。

福山さんは、そういう動きに抗おうとしている人なので、公正な報道を一生懸命やろうとしているスタートアップのメディアが「金がない」と聞いて、気持ちとして「支援してあげたい」となったのでしょう。「別に口出しはしないから好きにやってね」という資金提供ならば、それがいかほど問題なのか。福山さんが議員辞職することで、こういう論点、つまりＤａｐｐｉ問題とＣＬＰ問題の決定的な違いがもっと鮮明になったかもしれませんね。

人民日報化する読売新聞

白井 メディアと政党の関係ということでは、読売と大阪の包括連携協定なるものが問題視されているわけですが、その第1弾とも言うべき記事が21年12月30日の読売新聞オンラインに出ました。見出しは「吉村洋文知事、休日の筋トレ姿を公開！　たくましい筋肉に黄色い声殺到『カッコ良すぎ』『キャー！』」。吉村さんがインスタに上げた画像が話題になっているという要はヨイショ記事ですが、ネット上では逆に「バーベルを上げていない、フェイク写真だ」とか「政治家はアイドルじゃねえ」とか、大ひんしゅくを買っていました。

望月 報知新聞の記者が書いた記事で、それを読売新聞の本サイトに出したらしいのですが。

白井 望月さんは、読売新聞に転職しかけたこともあったんですよね。東京新聞に残って本当によかった（笑）。

望月 ひどいノンポリだったので……読売だったら、今の私はとっくに島流しでしょう（笑）。朝日や毎日、共同通信も官房長官会見に社会部や国際部が来て質問していますが、私の知る限り、読売の社会部は一度も来なかった。政治部が入らせないんですね。NHKも同様で、テリトリー意識が非常に強い。そんなところで私のように出しゃばったら即、首根っこつかまれて、懲戒処分みたいなことになっていたかもしれません……。

今回の包括連携協定でも、読売の現場の記者たちは「何のメリットがあるのか、本当にわからない。記者が何をしても色眼鏡で見られるし、恥ずかしいからやめてほしい」などと言っています。けれども何か具体的に抗っているかというと、それで会社を追い出されたらどうしようもないと思っているのでしょうが、動こうとしないわけです。

白井　現場レベルでは、読売の記者も「サラリーマンだからしょうがない」という程度には苦しんでいるのでしょうが、外野から見ると、残念ながら「読売新聞はもう報道機関じゃないですよね」と言わざるを得ない。たとえば、17年の元文科省事務次官の前川喜平さんに対する「出会い系バー攻撃」には、ここまでやるのかと本当にびっくりしました。あそこまでやったら政府の広報機関ですらなくて、もう言論謀略機関ですよね。

望月　「辞任の前川・前文科次官、出会い系バーに出入り」という読売の記事が出たのが17年5月でした。あのネタ自体は16年の冬に警視庁の担当記者が聞きつけた話と聞きました。その時には買春もしていない、飲みに行っていただけとわかったので記事にはならなかった。けれどもメモには残しておいたと聞きました。

ところが17年に加計学園問題が起こって、前川さんが「総理のご意向はあった」と証言するのではないかという話が永田町や官邸に流れはじめた。そうしたら社会部と政治部に編集局幹部経由で「前川氏に関する情報を集めろ」という指示が来たと聞きました。それで社会部は事件性がないけれども出会い系バーのメモを、政治部は官邸サイドから来ているような「前川はこんなやつだ」という情報を編集局幹部に上げたと聞きました。

読売の社会部のコンプライアンス委員会はかなり厳しいと有名です。警察に逮捕されても起訴されない人たちが結構いるので、逮捕段階で実名を出さずに案件によっては匿名で報道したりしています。読売は、疑惑を記事にする時も事件になるかならないかなど厳しくコンプラ委員会でチェックされ、かなり高いハードルがあると聞きます。だから前川さんの出会い系バーのようなネタは、コンプラ委員会に諮ったら絶対に通らないはずです。

でも、あの記事に関してはコンプラ委員会を通さなかった。かつ東京、大阪、西部という三本社に記事の見出しも総行数も変えてはいけない「マル是」案件、つまり「是非もの」として送られて、その通り一斉に社会面肩で掲載されたわけです。

当時、「これはナベツネ（渡辺恒雄・読売新聞グループ本社代表取締役主筆）の判断か」と言われたけれども、本人が「はっきり言って社会面は見ねえんだよな」などと発言しているように、どうも彼は本当に知らなくて、判断したのは東京本社のトップではないかとの話も聞きました。

現場レベルで言うと、あの記事は上から指示されて書かされたというとんでもない話ですよね。現場の記者なら逮捕になるような案件なら別として、こんなことやりたくないとみんな思っていたはずです。はっきり言って、Ｄａｐｐｉ並みとは言わないにしても、言論機関としてあり得ないことを現場の記者にやらせてしまったわけです。

白井　もう読売新聞は共産圏のメディアみたいなものですね。旧ソ連の「プラウダ」とか中国の「人民日報」とか、そういう新聞と同じだと思って読むと、それなりの読み方ができます。つまり、そこには真実が書いてあるんじゃなくて、政府が真実だと信じ込ませたいことが書いてあるのだ、という前提で読めばそれなりに情報量があることになる。あるいは、行間を読めば背後の権力闘争の構図が見えてきたりして面白いかもしれない。ただし、そうした読み方はかなり高度なリテラシーが必要ですね。

望月　包括連携協定に関して、報道の公正性などをめぐって批判されていることに対して、読売新聞大阪本社の柴田岳(がく)社長は「読売はそうそう、やわな会社ではない」などと言っています。でも、やはり報道機関だったら、たとえば２０２５年の大阪万博は、その開催自体の是非を問わなければいけないテーマでしょう。それなのに「万博を推進します」というのが前提の一つになっているような協定なんですね。それで果たして真っ当な検証ができるのでしょうか。読売はＩＲ、カジノに反対していますが、万博後のカジノ建設はどうするつもりなのか。

また、連携を強化するためには編集会議みたいなもので大阪府との交流が増えるでしょう。必然的に読売は行政側の情報をたくさん持つようになるはずです。そうなると他のメディアと相当差がつく。だったら「記者クラブを脱退しろ」と思いますよね。

経営難だからこそ「中立」を捨てる

白井　都道府県とメディアがタイアップするというのは初めてのことなのですか？

望月　TBSと横浜市や神戸新聞と姫路市など、いわば小さな連携協定はいくつかあります。東京新聞でも「孤独死問題」に関連して、川崎支局の販売局が川崎市と連携して、相談窓口のチラシを入れるとか配達先で何か異常があったら行政と連絡を取り合うといった取り組みをしています。

ただ、それは特定業務に関して何かやりましょうという話なんですね。たとえば、TBSと横浜市はIRが誘致されるかもしれないというので締結したものの、結局、招致できないから解消しても問題ないという話になっているらしい。今回の大阪本社と大阪府のように、あらゆる分野に及ぶような連携、あそこまであからさまなケースはさすがにありません。すでに読売新聞は、西部本社が山口県宇部市、岩国市、防府(ほうふ)市と包括連携協定を結んでいますから、あえて批判覚悟でやっているのでしょう。

白井　目的はやはり金ですか。

望月　行政と連携することで相当な個人情報が入ってくる、そこから購読者の獲得をあてにしているのではないかと言う人もいます。大阪万博での利潤を狙っているのではという声もあります。新聞社の経営が苦しくなっていく中で、そのビジネス利用を考えているというわけですが、危うい話ですよね。

白井　政治とメディアの関係は、本質的に難しいところが多々ありますよね。たとえば、いわゆる中立原則です。アメリカのメディアだと共和党系か民主党系か、色分けがはっきりしていますが、日本の場合、テレビでも新聞でも中立であるという建前があって、どの政党を支持するか明言してはならないことになっている。でも実際はそれぞれに色があるわけです。この間、読売は中立の建前を捨てて、公然と色を出すアメリカ型でいくんだと宣言したに等しい。

望月　メディアの色については、みんながだいたいのところで感じているけれども、在阪準キー局と維新の関係とか、そういう政治とメディアの関係が全部透明化されると、もっとわかりやすくなるでしょうね。

白井　聞いた話によると、コロナ禍でなぜあんなに吉村さんが出続けたのかと言うと、テレビ局の財政的問題もあるんだそうです。彼なら金をかけずに視聴率が取れるというわけです。

望月　経営難が続いていた英字紙の「ジャパンタイムズ」が17年、ニューズ・ツー・ユーホールディングスというPR会社に買収されました。同社の末松弥奈子会長は自民党の熱烈な支持者と言われる広島県の造船会社一族の人で、現場のトップである編集主幹に外から引っ張ってきた意中の人物をあてた。それ以降、リベラル派の政治学者の山口二郎さんの連載コラムが廃止されたり安倍首相の単独インタビューが掲載されたりと、一気に政権批判がトーンダウンしました。

特に問題になったのが18年に行った二つの表記変更です。徴用工（強制された労働者）を「forced laborers」から「戦時中の労働者（wartime laborers）」に、慰安婦を「日本の軍隊に性行為の提供を強制された女性たち（women who were forced to provide sex for Japanese troops）」から「意思に反してそうした者も含め、戦時中の娼館で日本兵に性行為を提供するために働いた女性たち（women who worked in wartime brothels, including those who did so against their will, to provide sex to Japanese soldiers）」に変えた件です。いずれも外務省などが「確認できない」と言っている「forced（強制された）」を外した変更ですが、その際に記者たちの強い反対があったという内幕をロイター通信が結構くわしくレポートしています。よほど酷いと思ったのでしょうね。

話し合いの場で「反日メディアであることのレッテルをはがしたい」などと説明する編集主幹に対して、記者たちは「ファクト（事実）が問題であって、リアクション（読者らの反応）

が問題なのではない」などと反発した。あるいは「政府系の広告はドカッと増えている」と言う編集企画スタッフと「ジャーナリズム的には致命的だ」と言う記者のバトルなどがあって、泣き出す人もいたと言います。でも結局、政権寄りという方針は変わらず、たとえば、「ジャパンタイムズ」の中でも特にリベラル記者でできる記者として知られていた吉田玲滋さんは、その後、会社を辞めています。

確かに、どの新聞も購読者の減少に歯止めがかからないような状況です。ただ経営という点で言えば、読売新聞は朝日新聞に比べればまだマシでしょう。朝日のほうがそれこそ大変だと思う。たとえば、21年3月期連結決算で約442億円という創業以来最大の赤字を出しています。

読売は、切羽詰まった状態だから行政との連携に手を出したのではないとすると、なぜわざわざそれをやったのか。昔の大阪本社は社会部系がトップに就いていたけれども、今は東京から政治部系が送られてきていて完全に東京の指示で動いているらしいんですね。現社長の柴田さんもアメリカ総局長や国際部長だった人で、東京本社の常務でした。だから大阪府との連携を実験的にやったのかなと思う。つまり、東京都や中央省庁とやるかどうか、様子を見ているのではないでしょうか。それこそ、いつか財務省と読売新聞の包括連携協定があるかもしれない。大阪本社の動きはその前ぶれにも見えます。

「言論の自由」をどう確保するか

望月　山梨県では、大手紙の子会社みたいなところがコロナワクチンの影響といったことを調査する事業を一般競争入札で受注していると聞きました。そのレポートを書くのは子会社に出向している元記者だそうです。つまり、大手紙の甲府支局の記者は行政に行って、わざわざ自分の元同僚が書いたものを取材する。これも実験的な試みなのかもしれませんが、利益相反に近いものがある。

白井　全国の支局にはそれなりに教育を受けた、ものを書く力のある人も配置しているわけですよね。そういう人たちは、そんな利益相反しないと記事が書けないなんてことはないでしょうに……。

望月　地方支局は県版の紙面を作っています。「こんな人がこんな活動をしています」といった地域ネタのほかに、事件・事故があるので、毎日とにかく何本か処理しないといけない。そこで若い記者が鍛えられて、何年かして本社に上がってくるわけです。

だから、支局の記者はむしろ忙しい。人数が減らされていることもあって、多い人は10本くらい書いています。山梨の場合、やはり金になる事業として自治体側に手を伸ばしたのでしょうね。

白井　そのうち支局は「独立採算でやれ」みたいなことになるかもしれない。その点、東京新聞はちょっと特殊というか、なかなか不思議な会社だと感じます。一方で中日新聞というブロック紙の東京支局という性格があって、親会社の中日新聞は突出してリベラルなわけでもないでしょう。他方で、完全に独立した会社というわけではないけれども、独立性は高くリベラルな紙面を保っている。中日本社からすると、東京新聞は利益をあげること以上に意地で出しているという面がありますよね。東京新聞があることで、中日新聞はただのブロック紙ではない存在感を得ているのですから。本社が許容している際立ってリベラルな論調というのも、その動機は、イデオロギー的なものよりも、個性化の戦略という面があるでしょう。せっかく首都圏で出しているのだから、個性を打ち出したい、と。

結局、「言論の自由」という抽象理念は、ここで話しているような具体的な事情によって担保されたり、されなかったりするんですよね。つまり東京新聞の場合のように、時に逆説的な構造の中で言論の自由が確保されることもあるわけです。だから今後も読売の中でやっていこうと思っている良心ある記者たちは、どうにか抵抗していかなきゃいけないと思う。しかし、今の読売の構造を見ていると、どうやって抵抗したらいいのか、ちょっと思い浮かばないですね。

望月　記者クラブと政府との関係も包括連携みたいなものだと私は思っているのですが、それでも一応、批判的な記事が出てくる。各省庁に記者クラブがあって、すごく取材しやすいからこそ切り込んだ記事も一定数出るという面があるわけです。これも、白井さんが言った「逆説的な構造の中での言論の自由の確保」ということでしょう。

ただ、今回の読売新聞の場合、大阪府との連携があっても「報道に関しては公平公正な立場でやる」などと言っていますが、事前に独占的に行政と情報交換するのにどうやってそれを担保するのか、全然わからないわけです。それでも現場の記者たちの怒りの声が少なくて、「たいして金にもならないのに批判だけ浴びるようなことをよくやったよね」などとわりと静観しています。でも、いろいろな実害が出てきた時には、さすがにみんな怒り出すとは思います。たとえば、何か非常にわかりやすい読売新聞と大阪府との癒着が出てきたら、「こういうのはあかんね」と、大きく批判を展開するようになると信じたいですね。

第5章

劣化する日本社会

「復興五輪」の総括

望月　それにしても、改めて「東京2020って何だったの？」と総括しなければいけないと感じています。本当に日本にとって歴史的汚点の祭典だったと思う。私たちは何を壊してしまったのか、何を見て見ぬふりしてしまったのか。結局、政府が言った「アンダーコントロール」という嘘のもと、「復興五輪」を掲げながら、むしろ復興をないがしろにしたのが東京五輪だったと思います。あれほど言っていた経済効果も全然なかったわけです。

福島で言えば、原発事故当時6〜16歳で福島県内に住んでいた6人が22年1月、事故のせいで甲状腺がんになったと東京電力に対して損害賠償を求める提訴をしました。すでに県の専門家会議が「現時点で関連性は認められない」という見解を示している中で、健康被害の訴えは初めてのこと。10年黙っていたけれども、病魔と闘いながら差別を受け続けた辛い10年だったと声を上げることで、またこの問題が注目されるようになったんですね。

先に議論しましたが、河瀬さんは「私たちが決めたんです」とか言ったけれども、そうであればなおさら、福島の復興、健康被害、差別とかも含めて東京五輪を総括しないといけないと思いますね。

白井　2020年に東京オリンピックをやろうとなったのは、やはり「3・11」に対するある種の反動形成でしょう。原発事故で見たくないけれども見なきゃいけない、非常に深刻なものが表へ出てきた。それに対して、そんなものは見たくない、不愉快だと。じゃあ、どうしたら見ないで済むか。「そうだ、東京でお祭りをやればいいんだ」という話になってオリンピックになったということですよね。しかし、当然のことながらそんなごまかしが通じるはずがない。そしてコロナにぶち当たり、いつの間にかコロナに打ち勝った証しに変わってしまって、その挙句(あげく)、全然打ち勝っていないわけです。

ろくでもない政治家や官僚がそういうふうに動いたというのは、そういう人たちだからある意味しょうがないけれども、恐ろしいのは、日本社会全体が脆弱さを露呈したことでしょう。特に、先に言った通り、中止すべきと言えなかったメディアの罪は大きい。これは復興のための一大イベントなんだからみんなで協力しなければなんて、そのセンスの狂い方は尋常じゃないですよ。

望月　復興五輪と言われなくなって、結局、福島でも野球・ソフトボールの会場の福島県営あづま球場の沿道だけがえらい整備されただけで、ちょっと外れたところは草ぼーぼーで、取り残されているそうです。本当にオリンピックのためだけという感じで、県民を愚弄(ぐろう)しています。

ケンカできない番記者

白井　まともなメディアが数えるほどになってしまったと改めて感じた「報道」がもう一つあります。朝日新聞も毎日新聞も相当危うくなっているんじゃないかと。両紙とも「ひと」欄ってあるじゃないですか。毎日が21年9月、朝日が10月に中村格警察庁長官をしれっと載せていたんですね。

望月　中村さんは警視庁刑事部長時代の16年6月、伊藤詩織さんの事件の加害者・山口敬之さんの逮捕状執行を見送った人物です。官房長官だった菅さんの秘書官を長くやっていたので、官邸から指示があったのではないかと疑われていたけれども、ちゃっかり出世したわけです。

警察庁長官の紹介はひと欄の恒例で、就任会見後に毎回記事が載るそうです。会見には警察庁記者クラブに登録している記者だけで私は参加できなかったのですが、わずか15分で事前質問しか受けず、うちの記者は、質問できなかったんですね。ただ、最後の1問で朝日新聞の記者が「逮捕状の執行見送りについて批判もあるが、どう思うか」といったことを聞いた。中村さんはそれに関しては個別の捜査にかかわることなので言及できないと。しかし、一般論として言わせていただければと言って、「法と証拠に基づいて適切な捜査指揮をしており、他事によって判断をゆがめることはない」と言い切ったわけです。ただ、起訴できるかどうかも含めて判断したというふうにも取れる話しぶりで、それを見た検察幹部は「起訴するのは我々の権限で、警察が判断する必要はないんだ」と怒っていました。

そういう人が警察庁長官になった。それを許したのはメディアにも責任があると思います。朝日も毎日も毎回出しているからという理由で載せたのでしょうが、批判を浴びましたよね。東京新聞は載せなかったけれども、うちは毎回横並びで出すと決めていたわけではないから、逆に「飛ばしとけ」という判断ができたんですね。

白井　恒例で飛ばせないのであれば、詩織さんの事件のことばかり書けばいい。近年で最も有名な警察庁長官として紹介してあげる。

望月　彼は政治家や官僚だけじゃなく、記者にも受けがいいんですよね。警視庁刑事部長時代も含めて人を手懐けるのがうまい。要は、この話を抜かせるからこうしろとか、アメとムチで、記者クラブの記者には、いっぱいアメも与えるわけです。だから「週刊新潮」に逮捕状の執行見送りの記事が出てもあからさまに批判できなかった。番記者たちには「山口という人間があんなに安倍さんに食い込んでいるとは知らなかった」と言っていたそうです。「嘘言うな！」なんて突っ込む記者は一人もいないでしょうね。それでこんなことを言ったとも聞きました。「記者クラブの記者を逮捕して起訴できずに釈放したら『言論の自由の弾圧だ』と騒がれかねない。だから起訴できるのかどうか、何とも言えない状態だったからもっと慎重にやれと言ったんだ。決してつぶしたわけじゃない、任意聴取に切り替えさせただけだ」と。さらに「俺はおまえたち（記者クラブの記者たち）が同じ目に遭ったら同じように判断するぞ」と、言っていたらしいんですね。話を聞いて怒りが込み上げてきました。

警視庁記者クラブの人間は暴力団絡みの取材をしていると危ういことが結構あって、そういう時に警視庁側が相手と交渉して「まあまあ」とおさめてくれるということも過去にはあったそうです。あるいは、特別に逮捕の瞬間の動画を警視庁の宣伝も兼ねてしょっちゅう撮らせていますよね。そんな関係性の中で、「山口が安倍首相に食い込んでいるとは知らなかった」といった話を番記者はオフレコで聞かされるわけです。だから全然ケンカできないんですね。その意味では、記者クラブの記者たちと中村さんという警察幹部の結び付きが強いがゆえに逮捕状の執行見送りが起こったとも言えると思います。逮捕状執行の見送りは、突き詰めると権力とメディアの問題なんだと思っています。

白井　そんなメディアだから、「ご昇進おめでとうございます」とやって、恥の上塗りになったわけですね。

政治家と官僚の侮れない関係

望月　16年7月には参院選がありました。山口さんのような安倍さんに食い込んでいる人が捕まったら大騒ぎですよ。しかも公示日直前に著書『総理』(幻冬舎、2016年)を出していて、彼は一躍時の人でしたから。版元の幻冬舎は総理に最も食い込む男性記者みたいな感じで、山手線広告とか新聞の全5段広告とか相当力を入れて宣伝していた。

当時内閣情報官だった北村滋(しげる)さんではないかと言われている名前も、山口さんは否定していますが、山口さんが週刊新潮の記者に誤って送ったメールに出てくるんですね。「北村さま」とか「伊藤の件で」とか。

白井 安倍政権の腐敗した性格を象徴するような事件ですよね。

望月 それを全く払拭しようともしない安倍さんが相変わらずトップに居続けた。韓国でもアメリカでもあり得ないですよね。

白井 安倍政権ができたのは世の中の右傾化を反映しているわけです。それに押されるかたちで日本の国家機構が右傾化していったように見える。でも、草の根右派的なものだけが日本の中で右傾化しているのではなく、結局、高級官僚とかエリートたちの根本的な価値観にネトウヨ的な右翼性があるんでしょうね。戦前の内務省的なものと根っこのところでつながっている。

望月 たとえば、警察官僚出身の北村さんは本当に安倍さんに心酔していて信奉者だと雑誌に書かれていたことがありました。確かにある年には、安倍首相と一番会っていた官僚は北村さんで、菅官房長官よりも多かったですから。

白井　北村さんはどういうキャリアを経てきたのでしょうか。

望月　開成高校から東大で、岸田内閣では官房副長官になるだろうと目されていました。安倍・菅内閣で3205日も官房副長官を務めた杉田和博の後継は北村しかいないみたいな感じだった。でも結局、持病で断ったとも言われています。岸田さんも開成です。同校出身で総理になった人はいなかったから卒業生を総理にする会とかがあって、5、6年前には岸田さんや北村さんが挨拶して「次の総理は岸田さんに」とかやっていたと聞きました。

白井　岸田さんにも食い込んでいるのか……。

望月　結局、岸田内閣で杉田さんの後任の官房副長官に就いたのは栗生（くりゅう）俊一さんという警察官僚でした。彼は杉田さん、北村さんのような公安・内調出身ではなくて国際畑の人なんですね。わりとバランス感覚が取れていると言われています。もちろん、北村さんに比べればという話ですが、岸田さんはあえて安倍さんに近い北村さんを外したのかなとも思いました。

白井　素朴にわからないのが、側近と言われた官邸官僚たちは、なぜ安倍さんを尊敬できるのかということなんですね。

望月　第一次安倍内閣で秘書官をやった今井尚哉さんとかは、使いやすくてシンボリックで人気あるから利用してやろうと、ずっと付き合ってきたと思いますが。

白井　官僚の政治力というか政治的な振る舞いのしたたかさはすごいですよね。今井さんは、安倍さんが一度失墜した時に「ゴルフに行きましょう」とか「高尾山登りましょう」とか励まし続けて、それで絶大なる信頼を得たという話ですよね。官僚はいろんな政治家にそういう保険をかけているんですか。

望月　自民党の政治家が総裁選に出るとなると、途端に「ちょっとご説明させていただきたい」と官僚が頻繁にやってくるようになるそうです。やはり自分たちの政策を理解してもらうための手の回し方がすごいんですよ。私がよく取材している法務委員会とかでも、政治家に官房長や審議官がぴたっと張りついて、とにかく説明している。このキーパーソンに理解してもらえれば政策を通せると思っているから、官僚の中でもトップ級の人たちがものすごくへりくだって辛抱強く説明するわけです。それが官僚の仕事なのでしょうが、ある意味感心しますね。

今こそ「官僚批判」すべき

白井　一連のコロナ対策を見ていて、前から言われていたことだけれども、日本の官僚機構は根本的に間違っているとつくづく思いました。官僚批判というのは1980年代、90年代に相当激烈に展開された。とりわけ98年に大蔵省の「ノーパンしゃぶしゃぶ腐敗問題」が取り沙汰されて「官僚ってダメだよね」という話になったわけです。それで「政治主導だ」となって、2009年には民主党政権が誕生した。だから民主党政権は、官僚批判の流れの延長線上にあったんですね。

けれども民主党政権は、結局うまくいかずにこけてしまった。それで12年から安倍首相になって政権が自民党に戻ったわけです。そのあとは一切、可変性のない状況が続いています。その実態たるや何であるかと言ったら、特定の官邸官僚と呼ばれるような人たちが極めて恣意的でピントの外れた政策を独りよがりにやっているということでしょう。しかし官僚批判は、民主党政権の自滅とともにすごく下火になってしまっているわけです。だから結局、2010年代を通じて、官僚支配は著しく強化された、ということです。

だからもう一回、官僚批判をやらないとどうしようもないのではないでしょうか。いろんな分野を見ていて、何でこの人たちはこんなにろくでもないことのみ思いつくんだろうと呆(あき)れてしまいます。要するに官僚は現場を全く知らない。現場を知らないからおかしなことばかり考えて、おかしな指示ばかり出すのでしょう。

前に紹介した大学のシラバスの話なんかもそうです。学校の現場で教育なり研究なり、あるいは学校運営なりをただの一度もしたことのない人間が、文教政策の何がわかるんだという話なんですね。

この際、高級官僚のリクルート方法を抜本的に変える必要があります。要するに実務経験のない人間を官僚にしちゃいけない。今は官僚の権限とそれに不可欠な知識、経験が全然適合していないと思います。だから、何らかの経験を積んだ人が官僚になる、あるいはキャリアを積んだその先に官僚になる可能性があるというかたちに、リクルートのやり方を抜本的に変えなければならないと思う。

望月　たとえば、官僚の縦割り主義の弊害は今でもあります。それを一番壊そうとしたのが前首相の菅さんかもしれないし、実際やっていたのかなとも思います。ただ大臣会見に出ていると、大臣が場当たり的に任命されていて、政策のプロフェッショナルじゃないことがよくわかるんですね。記者の質問に答えられない。だから結局、官僚が用意した紙を読むだけになってしまう。素人の大臣でも時間を重ねてくると少しわかってきて答えられる部分も出てくるのですが、基本、官僚ペーパーの域を出ません。

大臣が会見する今のかたちになったのは民主党政権の時からです。事務次官会議を廃止すると同時に、それまであった事務次官の週1回の記者会見も廃止した。そういうふうに民主党政権は官僚が問題だと騒いで官僚をわりと無視したかたちで政策を進めようとして、結局、官僚をコントロールできずに大失敗に終わったわけです。要するに、政策の方向性は政治家が描けても、それを具体化させていく時に官僚の知恵や手足がないと日本は回らないんですね。

でも今、その官僚たちがまともな知恵や手足を出せているか。とんでもなくまともじゃないと思います。たとえば、アベノマスクは佐伯耕三（さいき）さんという総務官僚の内閣総理大臣秘書官、学校の全国一斉休校は今井さんの発案と言われています。全く感染者が出ていないところまで休校させる一斉休校に関しては安倍さんと今井さんだけで決めたものの、さすがに当時文科相だった萩生田光一さんと文科官僚たちが「戦時中だって全国一斉はやったことがないんだ」と反対した。それくらいとんでもないことだったわけですね。

派手に風呂敷を広げてぱっと撤退するというのはいかにも今井さんらしい政策ですが、結局のところ、「一斉休校は本当に要らなかったよね」という話ですよね。実際、今のオミクロンの亜型BA.5では学級閉鎖1週間とかで回しているわけですから。アベノマスクは言うまでもない大失策でした。

要するに、官僚の頭だけで考えても危なっかしいわけです。しかも総理に妙にてこ入れされて、かわいがられている官僚は非常に危ない。佐伯さんも今井さんも全く誰もものが言えない存在になっていて、我がもの顔でデタラメな政策を決めていました。総理の息のかかった人だけが妙にかわいがられて、意見が通って出世するような官僚の使い方は根本的に歪んでいます。それだと一部の官僚がのさばるだけだから、やはりダメなんです。

確かに現場をよく知る官僚が知恵を出し合うということは必要でしょう。でも一方で、きっちり国会で審議をして彼らの独走を許さないことも必要だと思いますね。

官僚に主導される政治

白井　ずっと政治主導が望ましいと論じられてきました。それで内閣人事局が２０１４年にできて、政治主導は制度的に完成した。でも完成してみたら、主導じゃなくて私物化だったわけです。結局、政治家が官僚機構を私物化して自分にとって都合のいい人間を手足として使おうとなったんですね。

都合のいい人間というのは、早い話が「おべんちゃらのうまいやつ」です。要するに、安倍政権のような政権のもとで出世したがる官僚は、倫理観が欠落しています。でもそこにものすごく権力が集中します。それが果たして政治主導なのか。安倍さんには主導する力がないから、逆に主導されるしかないんですね。だから、最低の部類の官僚によって政治が主導されるという状況ができていったというのが、基本的には12年以降の体制の構造ではないでしょうか。

望月　官僚たちに聞くと、内閣総理大臣補佐官だった和泉洋人(いずみひろと)さんがものすごく評価されているんですよ。

自分の私利私欲ではなくて、菅さんがこうしたいと言ったらそれに忠実に動く。たとえば、武器輸出に関しても彼が月１回、官邸の会議室を使って防衛産業の人や銀行関係、融資関係の担当者を集めて、とにかく輸出を成功させるために何ができるかみたいなスキームを話し合わせていたんですね。

官僚として自分の理念とかを捨てて、徹底して政治家の決めた方向性に沿って、現実的に動かせる政策を考えてめちゃくちゃ早く動くから絶大な信頼を得ていたわけです。コネクティングルームで、大坪寛子審議官との不倫疑惑が週刊誌に報じられた時も、異動させられなかったことからも、そのすごさがわかるでしょう。本人にしても菅さんがここまで来られたのは自分のおかげだと思っているから、コネクティングルームがばれても全然気にしていない感じだったらしいです。

白井 あんなことを公にされて、よく恥ずかしくないなと思うけれども……。官僚たちがこれだけ結果を出せていないわけですから、和泉さんにしても能力が高いとは言えないのではないでしょうか。

望月 今井さんも原発輸出にめちゃくちゃ力を入れていたけれども結局、失敗していますからね。

白井 日本の原発を輸出しようなんて発想がそもそも狂っているわけで、そんな発想をする者が優秀なわけはなく、平均的ですらないんですけどね。さらに、今の官僚組織の中でも、とりわけモラルに疑問のある人たちが大手(おおで)を振っていると思う。そのせいでしょうか、まともな官僚、特に若い人たちがどんどん辞めていますよね。

望月　30代までに3割くらい辞めていくことが大きな問題になっています。

白井　そう言えば、和泉さんは今、大阪府と大阪市の特別顧問になっています。

望月　「面倒見てやってくれ」と菅さんに言われて、松井さんと吉村さんが引き取ったんでしょうか。つい最近の報道では、和泉さんは特別顧問は無給だが、ＩＲに出資する企業とアドバイザリー契約を結んでいたことが判明しています。これも菅さんが仲立ちしたのではとも言われている。

政治部記者は政治家？

望月　「ふるさと納税」は菅義偉さんの最大の政治実績ですよね。それに異を唱えた自治税務局長の平嶋彰英（ひらしまあきひで）さんが飛ばされたのは２０１４年のことでした。当時、彼は総務省の事務次官筆頭候補と言われていた。何があったかと言うと、上限額の倍増などを指示してきた官房長官の菅さんに「所得が高ければ高いほど有利になるのは、税の公平性に問題があるから一定の歯止めをかけるべきだ」と進言したんですね。資料として「ふるさと納税で食費ゼロ」みたいな本のコピーを渡したら、翌日に突き返してきたらしい、「ふざけるな」と。菅さんは平嶋さんとの面談後、じつは別のアポイントがあったけれども、それを断ってすぐに上司の官房長官と事務次官に電話をかけて「ふざけた野郎だ」と大激怒したそうです。

しばらくして総務大臣だった高市早苗さんが「謝りに行ったほうがいいよ」とか言ってくるほど、菅さんの怒り方は尋常じゃなかった。けれども、そもそもふるさと納税自体に総務省の官僚たちは税の公平性という観点から反対だったし、平嶋さんとしては間違ったことは言っていないからと詫びを入れなかった。それで結局、自治大学校長に左遷されてしまったわけです。

平嶋さんによると、当時、取材に来たメディアの中に菅内閣で補佐官になった共同通信の論説副委員長の柿崎明二(かきざきめいじ)さんがいた。でも柿崎さんは、1行も記事を出していない。おそらく平嶋さんの言い分を聞き取って、菅さんに報告するために来たのでしょう。

白井 柿崎さんが補佐官になった時、ずいぶん話題になりましたよね。

望月 枝野さんにもすごく食い込んでいたり、与野党の政治家に気に入られている人だったと聞きます。

白井 要するに柿崎さんは、政治家のスパイのようなことをやっていた?

望月 政治部の記者はそういうふうに使われるし、逆に記者はそうやって政治家に食い込んでいくんですよ。たとえば、自民党の衆議院議員だった「ヤメ検」の若狭勝さんが、17年に離党して、小池百合子さんを手伝って希望の党を立ち上げましたよね。彼は離党前、政治部の記者に安保法制を含めて安倍さんの悪口をいっぱい話していた。その悪口が翌日には官邸に筒抜けになっていたそうです。若狭さんは「政治部の記者は誰一人として信用できない」と言っていました。

だから野党系のネタを与党に流すのはまずいからと、みんなのメモはキャップとサブに集約して、現場の記者が見られないようにしているメディアもあるようですが。

白井 ひと昔前まで、自民党の政治家のブレーンが現職の新聞記者とか、結構よくありました。

望月 2000年に森首相の「神の国発言」が大きな問題になった時、NHKの記者が「明日の記者会見についての私見」というペーパーを作って、森さんにメディア対策のアドバイスをしていたというので、これも騒がれましたよね。読売新聞の渡辺恒雄さんの場合は、手取り足取り自分が政治家を使っているような感じでした。そんな度を越したことが許された時代もあって……。

白井 でも結局、今も同じことをやっているわけでしょう。この際、「政治部記者は政治家なんだ」と考えたほうがいいと思いますね。そうしたキャラクターで最も有名なのがナベツネですが、ナベツネさんはいまだに具体的に力を持っているんでしょうか。

望月 10年以上前に読売の記者に聞いた時は、「論説委員会でナベツネが言っていることとちょっとでも違うことを言うとすぐ問題視されてしまうらしい」と言っていましたが。

白井 そこにはナベツネ自身の勘違いがあると思うんですよ。ナベツネは自分が大したものだと思っているからいつまでも君臨しているのでしょうが、じつは全く大したものじゃない。読売中興の祖の正力松太郎（しょうりきまつたろう）と比べたら明らかです。正力は悪党ですが、やはりすごいと思う。戦後、彼は日本テレビを作ったり原発導入に動いたりする一方で、CIA（中央情報局）のエージェントだった。アメリカからすると、日本のメディア王を通じて戦後の日本人を親米の方向へ誘導することはとても重要だった。でも、正力がアメリカに単に使われていただけかというと、そう単純な話じゃない。いろんなプロセスの中で、アメリカから何か引き出そうとしてもアメリカが渋ることもあります。そうすると正力は、すかさず読売新聞内の親ソ的な記者に記事を書かせる、「アメリカ帝国主義けしからん」と。それをやられるとアメリカは困るわけです。だから条件をよくしてくるんですね。

正力はそういう腹芸を持っていました。つまり彼は、敵を身内に飼っておくことも役に立つということがわかっていたわけです。

それに対して、ナベツネは自分の決めたラインを逸脱できないようにしているだけです。正力のような幅の広さがないから、部下たちは間抜けなイエスマンだけになり、読売はメディアとして転落していくばかりになっていく。まあ、較（くら）べても仕方がないのかもしれませんが。正力はジャイアンツをつくったけど、ナベツネはジャイアンツを何度か優勝させただけですから、やはり格が違いますね。

五輪で世界にさらした後進性

白井　それにしても、東京五輪では日本の暗部がいろいろと明らかになりましたよね。

望月　たとえば、森喜朗さんの女性蔑視発言が出たＪＯＣの会議に参加していた委員は56人で、女性は１人しかいなかった。それで男性はみんな大笑いした。深刻なのはそういう日本の空気ですよね。

森さんの問題は国内でも炎上したけれども、海外のＩＯＣメンバーが「森さん、次の朝食会では必ず私が問い詰めますわ」とか言ったり、海外の女性たちからたくさんの批判の声が寄せられました。最終的には、東京五輪の最大スポンサーのアメリカのテレビ局まで「もう去らなければならない」とホームページ上で大々的に批判した。要は、こんな人が組織委員会のトップなんてとんでもない国だということが国際的に知れ渡ったわけです。つまり、これまで日本の歴史や文化の中で繰り返されてきたジェンダー差別、その意識の低さが露呈したんですね。

初めは、ＪＯＣとかも森さんは続投してもいいと火消しに走ったけれども、全く消えなくて結局、引きずり下ろされた。海外の厳しい目線があったからこそ、これまでのように「謝ったからもういいじゃないか」とはいかなかったんだと思います。

オリンピック開閉会式の演出陣をめぐる問題もありました。音楽担当の小山田圭吾さんが、かつての障がい者いじめや在日朝鮮人に対する差別的言動がクローズアップされて辞任した。統括役のクリエーティブディレクターの佐々木宏さんも、タレントの渡辺直美さんを起用して「オリンピッグ（五輪の豚）にしよう」などと言っていたことが内部告発されて辞任した。日本の人権やルッキズムに対する意識の低さも露呈したわけです。こうした日本の問題が外にさらけ出されたことが東京五輪でよかった部分でしょうね。

白井　東京五輪の開始直前のごたごたでは、演出担当の元ラーメンズの小林賢太郎さんも過去のホロコーストのネタで炎上して辞任しました。要するに、日本社会には国際社会の標準的感覚がないんですよ。そこで欠けているのは、公正性や正義に関わる規範や倫理です。そこにおいて日本社会が世界標準とどれだけズレているのかということを晒（さら）してしまったわけです。

それはある程度、日本社会にショックを与えたはずなんですね。森さんの発言にしても「普通じゃん、いいじゃん、ちょっと面白くて」みたいな感覚は国際的に全く通用しないということを思い知らされたでしょう。それを改めるきっかけになり得る事件だったということは確かだと思います。

ただし、それが何かしらの社会的・政治的インパクト、つまりは実際に何かをよくしているかというと、現状では何もよくなっていないわけです。たとえば、その後にあった総選挙はどうだったでしょうか。女性議員の率はさらに低下した。立憲や共産はジェンダー平等を上位の政策主張に置いて選挙を戦ったけれども、結果として負けたのだから戦術的に評価するならば、それは全く失敗だったと言わざるを得ない。それで票が取れたかというと逆に失ったかもしれないわけです。

そこにも日本社会の今の現実の地金が出ていますよね。森さんの発言は国内で相当評判が悪かった。アンケートでも7割くらい「責任取らなきゃダメだよね」という結果が出ていました。じゃあ、その7割の人たちは、その数カ月後の選挙でいったいどこに入れたのか。かなりの部分、自民党に入れているはずです。

「夫婦別姓」の話でも言及したことですが、森さんの発言や態度は、言うなれば自民党の根幹的な価値観とつながっていて、そこからストレートに出てきたものに過ぎない。自民党がずっと支配しているような世の中が続くのであれば、当然、森さんのような発言を普通のことと受け止める、そういう世の中がずっと続きます。結局、「政治的無知」という話につながりますが、森さんの発言がダメだと思うんだったら、じゃあ、どういう投票行動をしなきゃいけないのか。有権者には、そこに真っ当な回路がない。だから自民党に投票するんですね。

だから総選挙の結果だけ見れば、森さんが国際圧力によってクビになったことに対する反発だというふうにしか見えないわけです。日本人みんなで「うるせえ、海外がどう言うかなんて知らねえよ」と言っているに等しいんですよ。

望月　長野智子さんは女性の国会議員を増やそうと、総選挙前から月1回、田原総一朗さんを座長にして超党派で関心のある政治家を集めて会合を開いていました。でも結局、女性議員は減ってしまい、会合参加者たちはすごくショックを受けた。それでいろいろ投票行動を調査・分析してみると、ジェンダーに関して、それを投票行動の指針としたのはほとんど首都圏の有権者だけで、大阪でもあまり見られず、地方では全く関心がなかったということがわかったそうです。

結局、メディアに出てくる若くて元気のいい女性たちのイメージが強くて、「これぞ有権者の意志」とか思いがちです。確かに、メディアに持ち上げられている若い子たちは、自分の意見をはっきり言うし、すごく政治意識も高いし、選択的夫婦別姓とかに関しても、それぞれの見解をしっかり持っています。でも、違うんですよ。

私も地方の大学などに行って授業や講演をした時に感じるのですが、現実はそこまで行っていないんですね。「選択的夫婦別姓をどう思う?」と聞いても、「それってどういうことですか?」というところから説明しないといけないことが多いです。あるいは、そういうテーマで呼ばれて話をした後、出てくる質問というのは、自分の家族や友だち、身の周りの人たちとの軋轢（あつれき）とかそういう相談事だったりするわけです。だいぶ意識が違うんですね。

何でこんなに意識が違うのかなと思います。結局、政治に意識を向ける前の段階で、多くの若者は家族や友だちなど半径5メートルの範囲内の生活が全然うまくいっていないわけです。政治や社会に関心を向ける余裕がない。つまり、発信できる子たちというのは家族とか友だち関係、半径5メートルのベースがある程度整っているから、その先にある社会に自分がどう関わっていくのか、若者として何が言えるのか、変えられるのかと考えられるのでしょう。

たとえば、日本のジェンダー平等が156カ国中120位（2021年）という「世界経済フォーラム」の調査報告にしても、ほとんど伝わってない。長野さんなど私の周りのメディア関係者や女性たちがそんな社会を変えていこうといろいろやっているけれども、全然利いていないわけです。

じゃあ、どう広げて、どう投票行動に結びつけていけばいいのか。これからも模索していくしかないのでしょうが、時代の潮流がじわじわと変わってきているのは確かです。たとえば、医学部入試の男女差別が告発されたことで女性の合格率は男性を超えましたよね。メディアがいろいろな問題を伝えても、世の中の意識が劇的にすぐに変わることはなかなかないでしょうが、そういうふうに一つ一つの足かせをなくしていくことはできるはずなんですね。

「内省」しない国に希望はあるか

白井 私はせっかちなので、正直なところいつまでも待つ気にはなれない。だから、ショックがなければダメだと思っています。辞任した森さんの後任は最初、元Jリーグチェアマンの川淵三郎さんになりそうだったじゃないですか。それはダメだという話になって、結局、五輪担当相だった橋本聖子さんが会長になった。あの動きもダイバーシティなどとぬるっと言っている日本らしいなと思いました。「女性ならいいんだろう」という中身のなさですよ。だから私は川淵さんにぜひやってほしかった。川淵さんになったら、即「この人はとんでもない歴史修正主義者だ」というニュースが世界中に駆けめぐったはずです。それで「日本はやばい」ともっと恥をかいたでしょう。はっきり言ってそのほうがずっとよかった。今の腐り切っている日本を、もっと国際社会に対して示さなきゃいけないと思う。それを橋本さんでごまかして、しかもそれが通用してしまい、ショックを与えられる機会が失われた。非常に残念です。

さらに言えば、小林さんが「ホロコースト」のお笑いネタで解任された件と菅直人さんと維新の「ヒトラー」をめぐるやり合いはつながっていると思います。小林さんの件がなかったら、きっと菅さんと維新の騒動は起きていないでしょう。

要するに、小林さんの件がなぜいけないことなのか、なぜ解任せざるを得ないのか、なぜ国際社会からある種の断罪を受けるのかといった内省は、日本社会の中に一切なかった。一切なくて「とにかくホロコーストとかナチとか言っちゃダメだ」という空気だけができてしまったわけです。

だから橋下徹さんは、反射的に「国際的には御法度」と憤ってみせることができた。それまで彼は、石原慎太郎さんとかいろんな人からヒトラーにたとえられても文句一つ言わず、むしろ喜んでいたのに。つまり何の一貫性もなく、単に空虚なポーズを取っただけなんですね。そしてそんなものが通用してしまうのは、日本社会一般に内省がないからです。

この件に関して内省がないというのは、日本の場合、特にしゃれにならない。歴史の経緯からしてナチスと組んで戦争しているので、国際社会から「じつは何にも反省していないんじゃないか」と思われかねないわけです。

望月　テレビだと、たとえば、かつてのように黒人の容姿を大げさに表現するのはNGになっていますよね。ルッキズムやいじめ的な表現を問題視する声は以前から一部あったけれども、世界標準で見て恥ずかしいことなんだという感覚がじわじわと広がってきた結果だと思います。

白井　ただ単に「最近こういうのうるさいから、やめとこう」というだけじゃないですか。結局、なぜそれがいけないのかという内省は何もないように感じますね。

望月　世界標準の流れとしては、たとえばジェンダー平等、外国人の受け入れに向かっています。その過程で、若い男性から「逆差別だ」という声が出てきたりヘイトスピーチが出てきたりと、いろんな反動作用はあります。でも大きな潮流として、日本もジェンダー平等を進めないといけないし、外国人を閉め出すわけにもいかないわけです。

前にも触れましたが、選択的夫婦別姓のことで言えば、自民党の高市早苗さんたちの主張は「夫婦同姓で通称を認めればいいじゃないか」というものです。でも、国連やNGOなどの国際的な仕事をしている女性からすると、通称名と実際の戸籍名が違うというのは基本的に認められないために、非常に仕事がしづらくなるんですね。国内の手続きでも、サイボウズ社長の青野慶久(よしひさ)さんもよく発信していますが、通称名と戸籍名が二つあると、ビジネスで必要ないろんな審査が通りづらい。パスポートとか銀行の預金口座とかもそうですよね。どちらも通用するようにシステムを変えるとなると何百億円単位では済まないと聞きます。つまり、経済合理性も全くないわけです。

夫婦別姓を求めて積極的に活動している女性たちに聞くと、世の中の流れが声として変わってきているのを実感していると言います。自民の反対派にはげんなりするけれども、世界標準はもちろん、日本の世の中の流れも確実に夫婦別姓に向かっている。「だから希望を失わないで頑張れるんだ」と。

私も同感なんですね。ジェンダー問題や入管問題を取材・報道していて、打ちひしがれることも多いけれども、社会全体の流れはこっちの方向だと実感できるから頑張れるし、やりがいもある。17年に詩織さんが出てきた時の状況に比べれば、本当に声を上げる女性たちがすごく増えました。LGBTの人たちの発信も増えているし、男性たちの共感の声も増えている。やはり希望があるんですよ。

外国人労働者を「排斥」する矛盾

白井　外国人をどう受け入れるかという話でも、日本は世界標準から相当乖離していますよね。望月さんは入管問題を精力的に追いかけていますが、取材を通じてどんなことが見えてきたのか、あるいはどう取り組んでいけばいいのか、詳しく教えてください。

望月　19年に安倍さんが「移民ではない」と言って保守派の反対を振り切って入管法を改正しました。菅さんを中心に進めたようですが、留学生や技能実習生とは別に「特定技能」という在留資格を新しく設けた。それで5年間で最大34万5０００人の労働者の受け入れを見込んだわけです。ただ、5年という就労期限があって家族の滞在も認めないことにした。結局、外国人にしたら日本が働きに行っても魅力のない国に映ったんですね。21年12月までで約5万人しか特定技能（1号）で在留していない。コロナの影響もありますが、全く外国人を労働力として受け入れができていないわけです。

今、法務省は就労期限の撤廃や家族の帯同、特定技能の業種をもっと拡大するとか、法改正をせずに外国人労働者を増やせる施策を行おうとしています。右派がどんなに「移民はダメ」と言っても、少子化が解決しない中では、とにもかくにも若い外国人労働者に来てもらわないと経済が回らない。そういう厳然たる差し迫った現実があるんですね。それができなければ、ただでさえ衰退している経済がますます衰退する。つまり日本は、都市部であろうが地方であろうが、どう考えても外国人を受け入れて共生できる社会に向かわないといけないわけです。

そういう状況を踏まえて、東京・武蔵野市は21年11月、3カ月以上在住の外国人に住民投票への参加を認める条例案を市議会に提出しました。それに反対する右派、特に川崎市でヘイトスピーチをやっていた人たちが大勢集まって暴れた。川崎では禁止条例ができて活動できなくなったからこっちに来たわけです。結局、条例案は否決されましたが、武蔵野市はその直前の衆院選で立憲の菅直人さんと自民党の長島昭久さんが議席を争って長島さんが負けたりして、ある意味、左派と右派のシンボリックな戦いの場になっている印象です。

それにしても外国人を頑なに受け入れないという排他的な態度は、国際社会に見せられないような恥ずかしい部分ですよね。長島さんみたいな人とか産経新聞とかは「それを認めたら外国人参政権を認める流れになる」などと言って反対しますが、じつは日本国籍の住民と同じく居住外国人の住民投票を認めている自治体は、もう神奈川県逗子市、大阪府豊中市と二つあるんですね。これからはそういうことも認めていかないと、外国人に来てもらえないだろうし、共存共栄できないと思います。

誰がウィシュマさんを殺したのか

望月　21年3月に出入国在留管理庁（入管）の名古屋の収容施設に入っていて、33歳で亡くなったウィシュマ・サンダマリさんの問題もそうなんです。ただし、これは恥ずかしいとかそういうレベルの話ではなくて、日本の政府機関がその排他性ゆえに苦しむ人を放置し、点滴さえせず「見殺し」にしたという非常に深刻な事件なんですね。

彼女は、卒業生の16%が女性と言われるスリランカ大学を出た才女でした。スリランカのインターナショナルスクールで教師をしている時に、すごくまじめで礼儀正しく勉強もできる日本人の子どもたちに出会って、どうしたらこういう子に育てられるのか、それを学びたくて日本で英語を教えたいという志を持ったわけです。それで親が家を抵当に入れて借金をしてまで日本に送り出してくれたんですね。

ウィシュマさんは17年に留学生として来日しました。半年ほどまじめに千葉県成田市の日本語学校に通っていた。それで別の日本語学校に通うスリランカの年下の男性と出会って交際を始めます。そこから彼女の歯車が狂ってしまうんですね。

その彼氏は、ウィシュマさんがスリランカの家族と電話で話していると、電話を奪い取って「二度とかけてくるな、ばかやろう」と怒鳴ったりする乱暴で嫉妬深い人だった。次第に彼女は学校に行かなくなって、やがて出席不足で留学資格を剝奪されてしまうのですが、その頃からすでに、いわゆるＤＶ状態だったのではないかと思います。

不法就労状態になったウィシュマさんは、お弁当屋さんや自動車工場で働くようになりました。そして19年初め、妊娠するんですね。スリランカでは結婚していないのに赤ちゃんができるのは文化的にアウトで、普通は産めないそうです。それで男が用意した注入薬や錠剤を飲まされ、堕胎させられた。そこから非常に体調を崩して、精神的にも罪深さを感じたのでしょう、すごくトラウマになって、仕事にも行けなくなってしまいます。

彼氏と同棲していたのですが、男は別の女性を部屋に連れ込むようになった。文句を言うとひどく殴られたりする。誰かに助けを求めたくても、スマホのＳＩＭカードを抜かれて使えない状態だった。半ば監禁状態のようなものだったと思います。

ウィシュマさんの死後、法務省が出してきた調査報告書ではウィシュマさんをＤＶ被害者と全く認定していません。彼氏の言い分を取り上げ、わざわざ彼女が投げつけたマグカップや定規を手に持ち彼に突っかかっていく動画があると注釈をつけていました。あたかも「彼女もこういうふうに抵抗していたんだ」と、ＤＶ被害者ではない、加害者でもあるんだと、見せようとしているようにも読めました。死者に鞭打つような酷い報告書だと感じました。

最後は、ついに彼女は全財産１３６０円を握りしめて近所の交番に駆け込みます。それで当時住んでいた静岡県清水町の警察に対して、堕胎してしまったこと、彼氏に暴行されていること、もうスリランカに帰りたいなど詳しく話したと言っていました。入管当局は08年7月、全国の入管施設に法務省入国管理局長（当時）名で「DV事案に係る措置要領」を通知（18年に一部更新）。その中には「DV被害者本人の意志に配慮しながら、人道上適切に対応しなければならない」「母国語の通訳を介し調査し、警察、配偶者暴力相談支援センター（DVセンター）、NGOなどと連携を図ること」「DV被害者が配偶者からの暴力に起因して旅券を所持していない時は、在留資格を交付する」などと記されています。ウィシュマさんのような外国籍のDV被害者が警察に来たら、警察は在留資格の有無にかかわらず、適切にDVセンターなど対応窓口に保護を含めて身柄を送ることを検討し、対処する必要があったはずです。ところが警察は即座に入管に送ってしまったわけです。

彼女は入管の職員にもDV被害の話を詳しくしています。普通に考えれば、まず彼女が身を置くべき窓口はDVセンターです。でもDV被害は無視して、ずっと単にオーバーステイの女性の扱いで入管の施設に収容されていた。面談した支援者はDV被害者だから保護してほしいと言い続けていたのですが、最後まで何も変わらなかったわけです。

ショッキングな200時間のビデオ

望月　入管に収容された当初、ウィシュマさんは「スリランカに帰る。家族に恥ずかしいから尼さんになる」などと言っていたそうです。でも、収容中に支援者のシンガー・ソングライター真野明美さんが現れた。真野さんは事情をひと通り聞いた後に「もうおなかは大丈夫なの？」と尋ねた。ウィシュマさんは号泣したそうです。「初めて自分の体を気づかってくれる人に出会えた」と。真野さんが彼女に「私の家で一緒に暮らそう」と伝えてからは、「スリランカには帰らない」と入管に日本にとどまる希望を伝えました。真野さんも入管に対して「私が引き取るからとにかく出してくれ」と言い続けます。

帰らないとなった途端、入管の職員の態度が豹変（ひょうへん）するんですね。「そんな言い分が通ると思っているのか」とすごく高圧的になった。入管にとっては自国に帰すことが正義で、仮放免させずに懲罰的に収容を継続するということがよく行われています。ウィシュマさんの調査報告書にも「長期収容によって帰還を促す必要あり」と、仮放免しなかった理由が書いてある。ただ本来、懲罰的な収容というのは法律的にはあり得ないんですね。でも、平気で公文書上に載せている。入管はそういうデタラメな体質なわけです。

交際相手のほうもオーバーステイだったので、ウィシュマさんが交番に駆け込んだのをきっかけに収容されました。それで彼女を恨んで「おまえがスリランカに帰ったら、俺の親族がおまえと家族に罰を与えてやる」などと書いた脅迫文みたいな手紙を入管にいる彼女に送った。彼女は怖くなって、屋上でやる1日1時間の運動にさえ参加しなくなって、部屋に閉じこもってしまうんですね。ただ、交際相手は申請もしていないのに、3カ月ほどで仮放免になります。新型コロナのクラスター予防のための特別措置でした。

ウィシュマさんにはそれも適用されなかったわけです。しかもずっと体調が悪かったのに病院にも行かせてもらえなかった。21年1月から吐血もしていた。前にビタミン剤の点滴をしたら回復したという経験があったから、せめて点滴を打ってほしいとずっと言い続けた。でも、全く聞いてもらえなかったんですね。支援者に面談とか手紙とか電話で30回も伝え続けて、面会している支援者もウィシュマさんがどんどん弱っていくから「このままだと死んでしまう」と入管の職員に何度も必死に直訴している。亡くなる数日前には、本人が最後の声を振り絞って「本当に死んでしまうから救急車を呼んでくれ」と言ったけれども何もしなかったわけです。

しかも、現場で直訴された入管の幹部職員は一行たりとも上司に報告書を提出していなかった。その場で話を聞いているだけで全くメモも取っていなかったんですね。支援者が会話を録音しようとすると「やめてください」と命じられたそうです。ただ、支援者が一連のやり取りを全部記録しておいたおかげで、こうして何があったかがわかる。それがせめてもの救いだと思います。

また、ウィシュマさんが亡くなる直前の様子が映っているビデオが2週間分、295時間くらいあります。まだ遺族と弁護士、国会の法務委員会の与野党議員の一部しか、見られていませんが、かなりショッキングな映像らしくて、話を聞いただけでも本当に残酷なんですよ。

最後のほうは、彼女はもう体が動かせなくなっていた。亡くなる1週間前とかにはトイレに行こうとしても床に倒れてしまって自力で起き上がれないわけです。夜中の3時頃、「寒いよう、寒いよう、職員さん助けてー」と言いながらコールボタンを押し続けている。誰も来ないんですね。28回くらいブザーを鳴らして、職員がようやく来るけれども、手や足を引っ張って、「ほら頑張れ、自分で起きろ」とかやっている。あげくに「朝8時過ぎにもう一人来たら、起こしてあげるから」と言い残して、冷たい床に寝かせたまま行ってしまう。

亡くなる3日前とかは食べ物が食べられない、飲み物も飲み込めない状態でした。女性の職員が無理やりカフェオレを口に入れると鼻から出てきた。それを見て「鼻から牛乳やでー」と笑っている。「食べるんだー、食べるんだよ」とトマトスープやチキンを口に運ぶ。飲み込めないから吐き出してしまう。「頑張れ、頑張れ」と口に入れては吐く、入れて吐くの繰り返し……。亡くなる当日の午前中、意識が朦朧(もうろう)としてもう反応できないような状態だった。「どうした、どうした? おーい、大丈夫かあ、薬キマッてっかー」と呑気に言っている。

職員たちは「ユーモアを交えながら、自分たちを鼓舞して、リラックスさせていた」などと説明したようですが、死にそうなウィシュマさんを前に、入院もさせず、なぜ、あんな言葉をはけるのか、とても納得できるものではありません。

デタラメな入管の実態

望月　こんなデタラメな入管にさらに権限を付与する入管法改正法案を、菅政権は21年4月から5月にかけて、ウィシュマさんが亡くなって騒ぎになっている最中に成立させようとしました。でも、衆議院法務委員会での採決をめぐって「ビデオの公開が不可欠」などと野党が猛反発したわけです。

私も当時、法務委員会の与党筆頭理事だった稲田朋美さんに取材しに行って、支援者の日誌の報告書や入管に関する雑誌や海外の報道など資料を渡したりしました。意外だったのですが、稲田さんは結構しっかり読んでくれて、「すごく勉強になりました。ひどいですね」と真摯(しんし)に受け止めてくれた。他にも理事懇談会の席で「これはもう殺人と一緒じゃないか。改正法案なんか通せるか」と憤っていた自民党の法務委員の議員もいたそうです。

ウィシュマさんの事件は弁護団が多い時に週2回くらい記者会見を開いていたこともあって、メディアがしだいに食いつくようになりました。テレビでは特にＴＢＳの女性記者さんが「報道特集」で頑張っていた。私も当時の上川陽子法務大臣の定例会見で「見殺しにしたも同然じゃないですか」などと何度も噛みつきました。上川さんは気色ばんでいましたが、会見後に「どうなっているの？」とウィシュマさんの件を解決するように促していたらしい。そういう意味では、やはりメディアの力は小さくないんですよ。

結局、法務委員会の採決は見送られて、入管法改正法案は事実上の廃案になりました。都議選が夏にあったので、公明党がそういうスキャンダルをめちゃくちゃ嫌がった影響も大きかったと思います。

初めに言ったように、日本は外国人とどう向き合っていくか、真剣に考えなければいけない時代になっています。そんな中で、ウィシュマさんの事件は、入管の問題と外国人に対する日本人の差別の問題を問いかけています。

白井　詳細なご説明、ありがとうございます。入管職員の異様なサディストのような振る舞いはおぞましいですね。本来的には、この人たちは殺人犯として罰せられるべきと思います。それにしても入管は強制的に国外退去はさせないんですね。

望月　退去強制命令は出せるのですが、2010年に力ずくで飛行機に乗せようとしたガーナ人の方が亡くなる事故があって、それ以降、ものすごく慎重になっています。改正法案では命令違反に罰則を設けるなどそれをやりやすくする狙いがありました。あと、現行法では難民申請を何回でも続けられます。難民申請中は強制送還できないので、改正法案では申請は二回まででで三回目からは新たに相当な理由がない場合は、送還忌避罪を適用すると上限を設定しようとしました。

しかしその前に、日本は世界標準と比べて難民に認定される人数が圧倒的に少ないという問題があります。難民認定率は19年の数字だと日本は約0・3%。ドイツ16%、アメリカ23%、カナダ51%だから本当に桁違いです。ここを変えないのに強制送還だけハードルを下げるというのは、やはりおかしいと思います。21年は良くなったといっても、わずか0・7%でした。また、ウィシュマさんのような事情がある人には、資格を付与し直して勉強に再チャレンジできるように環境を整えるほうがよほど日本のためでしょう。

要するに、オーバーステイを犯罪者のように扱っていることがそもそも間違っているわけです。上川さんもウィシュマさんの事件を総括して「収容施設が人の命を預かる施設だということへの理解が足りなかった」などと認めています。入管庁長官の佐々木聖子さんも「全件収容主義からの決別」と明言しています。

また、アメリカのバイデン政権は「オーバーステイはアンドキュメンテッド。イリーガルという言い方はやめよう」と決めました。つまり、手続き上の紙があるかないかの問題であって、不法ではないというわけです。差別を助長させないための変更ですよね。日本のメディアも、まだ「不法滞在」という言い方が多いのですが、東京新聞や毎日新聞は「非正規滞在」に切り替えています。ネトウヨとかが「不法だ、不法だ」と騒ぐのを止めるには、そういう表題での部分も差別につながるから変えていかなきゃいけないと思いますね。

白井 外国人労働者を何のために入れているのかと言えば、多くの場合、日本人がいわゆる3Kでやりたくない仕事を担ってもらうためなわけですよね。そのくせ、滞在資格が切れた時に違法状態だから帰らなきゃとすぐに帰ってくれるなんて、都合よくいくはずがない。結局、現実的に対応するしかないわけです。そういう意味でも日本の入管政策はいったい何がしたいのか、原則が見えませんよね。

望月 民主党政権の時は半年収容したら出して就労許可を与えるみたいな運用をしていました。近年はすごく揺り戻しが起きているわけです。たとえば今、7年くらい収容されている外国人もいる。これはいわゆる無期限収容で、国連からも恣意的な拘禁だとして、人権上問題と批判されていますが、じつは何の法的根拠もありません。入管が恣意的に出す出さないを決めているんですね。

そのせいで収容施設でハンスト運動が繰り返し起こるようになりました。19年6月にはナイジェリア人のサニーさんが3年7カ月という長期収容の末、ハンストをして亡くなるわけです。法務省はこの事件を重く見て、どうしたら収容者を強制的に帰せるかを検討するようになり、

21年の菅政権での入管法改正法案につながっていくんですね。

そもそもなぜ収容中のオーバーステイの外国人が餓死するほどのハンストで抗議をするのか。彼らにとって収容の運用がものすごく理不尽なわけですよ。在留資格の再申請に来た途端にそのまま収容されたり、ある日突然仮放免が取り消されてまた収容されたり、しかも全く理由がわからない。仮放免後に1、2週間で再収容するということ自体は、すごく精神を圧迫するので問題視されてもいるわけです。ウィシュマさんも医療ケアが全く受けられないまま留め置かれて殺されたわけです。極めてデタラメなことがまかり通っているんですよ。

もちろん、収容に関して法的に透明性のある運用ルールを作れと人権派の弁護士や海外の専門家から言われています。でも、変わらない。収容施設での人権保護はもちろん、収容ルールの透明化と同時に、難民認定を含めて救済措置ができるように新たな機関を作らないといけないと思います。

共産党の志位和夫委員長が執筆した『新・綱領教室』（新日本出版社、2022年）で知りましたが、入管法の前身とされる外登令（外国人登録令）の公布は、日本国憲法が施行される前日の1947年5月2日でした。旧憲法体制の最後の勅令として外登令が公布されました。GHQは日本の事情を十分に理解せず、お墨付きを与えてしまった。脱法的な手法で公布された外登令は、在日朝鮮人の「取り締まり法」的な入管法制の出発点となり、国会での審議を一度も経ずに、現在に至っているのです。

外登令はのちに入管令という政令となり、その後入管法となりましたが、その成り立ちからおかしかったわけで、小手先でなく抜本的な法律や制度の見直しが必要不可欠です。

白井 ウィシュマさんの事件は、さんざん喧伝されているダイバーシティとやらを日本社会がどれほど真剣に追求する覚悟があるのかを突きつけてもいるわけです。入管の人権侵害的かつ恣意的な権力の行使を社会が重大なものとして受け止めないのなら、またしてもダイバーシティとやらは空語でしょう。

それから、入管がなぜこんなに酷いのかを歴史的に見てゆくと、例によって例のごとく、大日本帝国の未清算問題にたどり着く。要するに、入管のルーツには戦前の特高警察があり、特高警察の組織文化、価値観が色濃く残存している。そのことが今回表に出てしまった。根本的に新しい機関をつくる必要がありますが、単なる看板の掛け替えではなく特高的価値観の転換をするためには、政権交代しなければできないでしょう。その意味でも政権交代は、本当に必要なのですが。

第6章
国家による侵攻の衝撃

結局はソ連に逆戻りか？

望月　２０２２年２月24日、ロシア軍によるウクライナ侵攻が始まり、世界中が大きな衝撃を受けました。白井さんは20年ほど前にロシアに留学した経験もあります。ぜひ率直な感想をお聞きしたいですね。

白井　開戦前、国境地帯にロシアが軍隊を配置しても、戦争は起こるはずがない、いくら何でもそんな無茶はしないだろうと多くの専門家が言っていました。私はピンと来なかった。プーチン大統領はやる時はやるという人物だし、これまでのロシアについての勉強や体験から感覚的に武力行使に踏み切る可能性は十分あるだろうと見ていました。なので「案の定起きた」というのがいわば第一印象でした。もちろん、驚くべき決断だとは思う。けれども、決してあり得ない話ではなかったわけです。

そして、ロシアという国にそれなりの興味を持ってきた一人の人間の率直な感想で言うと、ソ連が崩壊してロシアになって30年、いろいろあったけれども「結局はソ連に逆戻りか」というものになる。振り出しに戻るみたいな話で、大変なある種の虚しさを感じますね。

望月　留学したのはエリツィンとプーチンが交代する時期ですか。

白井　プーチンが首相に任命（１９９９年８月）された頃、エリツィン政権の末期です。

望月　ようやくプーチンが注目され始めたという感じでしょうか。

白井　まだ海の物とも山の物ともわからないという時期です。当時のロシア国内は最悪の混乱状況というのはさすがに収束していたけれども、基本的にはまだぼろぼろです。そんな中で、エリツィンの健康状態が最大の政治懸案になっていました。エリツィンは後継者を決めることによって何とか混乱を来さないようにしようと考えたらしい。ただ、これと思う人物が二転三転していくんですね。首相に任命してはクビにするということが相次いで、それで最終的にFSB（ロシア連邦保安庁）の長官だったプーチンが後継者に選ばれるわけです。

プーチンは本当に彗星のごとく出てきた。彼はKGB（ソ連閣僚会議付属国家保安委員会）のスパイとして15年ほど任地の東ドイツにいて、1991年12月にソ連が崩壊しますが、その直前ぐらいに故郷のサンクトペテルブルク（当時レニングラード）へ戻って来た。それで大学時代の恩師で市政の有力者になったサプチャークのもとで働き、サプチャークが市長になると副市長をやるようになる。そこからプーチンはいろんな政治的なキャリアを積み始めるのですが、90年代半ば、サプチャーク先生は市長選で落選してしまいます。それで、とっくにKGBは辞めていますからいわば失業状態になり、一時はタクシーの運転手をしていたと言われています。

でも突然、モスクワに呼ばれるわけです。ここは謎に満ちているんですね。なぜ元副市長に過ぎないほとんど何者でもない人物がモスクワの権力中枢へ呼ばれたのか。ともかくプーチンは、モスクワに来てからわずか2年ほどでKGBの後身組織であるFSBの長官となり、さらにエリツィンから目をかけられて「もうお前しかいない」という形で99年に首相になります。そして99年12月31日、エリツィンは大晦日恒例の大統領メッセージの中で唐突に引退を表明し、プーチンを大統領代行に指名します。

あの頃ロシアで何が起こっていたかと言うと、第二次チェチェン紛争（1999〜2009年）に関連する爆弾テロ事件です。99年の夏頃にモスクワの集合住宅や地下鉄などで続発して、これは大丈夫だろうかと心配しながらロシアに渡ったことを覚えています。程なくロシア軍のチェチェン空爆も始まった。普通だったら爆弾テロとか空爆とか、それ一色の報道になるじゃないですか。ところが行ってみたらほとんどニュースになっていない。図らずも留学中、ロシアのすさまじい報道管制を経験するはめになったわけです。

プーチン支持8割超の理由

望月　20年ほど前だから、欧米のニュースにアクセスできるようなネット環境も整っていなかったでしょうね。今回、プーチンが80％を超える支持率を集める一方で、ロシアの中で戦争反対のデモも起こりました。ネットが普及して西側の情報にアクセスできる人たちが増えたことで、本当の世論という意味では、当時のロシアとはだいぶ状況が違うのではないでしょうか。

白井　私はプーチンの支持率が80%超という数字はフェイクとは思いません。それなりに客観的な世論調査の結果だと思います。

望月　報道管制の影響ではなく、ロシアの国民性みたいなところでプーチンを支持しているということですか。

白井　そういうことですよね。ただし、世代ではっきり違いが出ています。高齢者層はプーチン支持、若年層になるにしたがってその傾向が逆転します。

望月　それはやはりアクセスしている情報の違いでしょうか。

白井　その影響はすごくあると思う。上の世代はテレビしか見ないけれども、下の世代はインターネット等々でかなり重層的な複数の情報アクセスがあります。ただ、だいぶ前から言われていましたが、そもそもプーチン支持の傾向には世代的経験による格差がすごくあるわけです。それはなぜか。

ロシアの90年代を体験している世代は、みんなその時代をすさまじい悪夢として記憶しています。ソ連が崩壊する直前から崩壊後の数年間はハイパーインフレーション、とてつもない失業率、年金の崩壊など大混乱が続きました。巨額の蓄財に成功した新興成金が出現した一方、アルコール依存症は激増し、平均寿命は劇的に縮みました。その酷い時代を導いてしまったエリツィンの後にプーチンが登場し、強権政治でもって混乱を安定へと導いた。それがロシアの

2000年代です。プーチンの高い支持率はその功績に対するものなんですね。つまり、90年代を体験している世代にはプーチンへの信頼があるわけです。

ところが若い世代は地獄の90年代を知りません。だからプーチンが英雄に見えないのです。単に強権的な指導者にしか見えず、プーチンから心が離れている。そういう世代の差が明らかに出てくるほど、プーチン体制の23年は長いということなのでしょうが。

望月 そういう意味では、プーチンはロシアを混乱から救ったけれども、若い世代に支持されるほど経済成長させることはできなかった、豊かにはできなかったということでしょうね。

白井 はい、やはりロシアは貧しいと思いますよ。今回改めてロシアの経済力がクローズアップされていますが、人口は約1億5000万人で、GDPは人口約5000万人の韓国程度。軍事費も軍事大国のイメージはありますが、アメリカの13分の1、中国の4分の1程度。人々の生活は90年代に比べれば安定したけれども、多くの人々が格段に豊かになったと実感できるほどは発展していないんですね。ロシアは2000年代、すごく成長したとは言われています。それは確かなのですが、90年代の落ち込みがすごかったわけですし、内実は原油、天然ガスというエネルギー資源頼りで、今も全く変わりません。

望月 その儲けを使って新たな成長産業をつくるという知恵は、プーチンには全然なかった。同じ産油国のUAEのドバイの発展とかと比べると、ずいぶん違いますよね。

ソ連崩壊で警察は「ゴミ」に

望月　ロシア国内の警察の取り締まりはどうなのでしょうか。２０２２年の米アカデミー賞で、長編ドキュメンタリー賞・長編アニメーション賞・国際長編映画賞の３部門にノミネートされた『ＦＬＥＥ フリー』というデンマーク映画があります。90年代にタリバンによる迫害を恐れて故郷のアフガニスタンから逃れ、現在はデンマークで暮らすゲイの30代半ばの難民男性が主人公です。実在の人物をアニメ化して、ニュース映像も挟み込んで、いろんな葛藤や差別などを描いている素晴らしい作品です。残念ながらアカデミー賞はもらえませんでしたが。

最初、主人公はロシアに逃げます。一応、難民として受け入れられるのですが、そこでも迫害されるんですね。たとえば、警察はムスリムとおぼしき人たちを何かあればすぐに捕まえようとする。しかも、お金を渡せば解放するけれども払えないと暴行を加えたりするわけです。主人公も兄と一緒に警察車両に乗せられ、お金を持っていないアジア系の女性が暴行されるのを目撃します。そういうシーンを見て、ロシアではこんな不正が平気でまかり通っているのかと驚きました。

白井　ロシアには外国人はパスポート、ロシア人は国内旅券（身分証明書）を携行しないといけないという法律があります。だから、警察官はとにかく「パスポートを見せろ」と言ってきます。持っていないと罰金なんですね。外国人はよくわかってないからカモで、私も留学中、何度も声をかけられました。パスポートを持っている限りは大丈夫というのはわかっていたので、お金を取られることはなかったのですが。ただ悪質な警官もいて、パスポートを持っていたのに言いがかりをつけられて、一晩勾留されたという日本人の留学生もいました。

当時、警察の横暴と腐敗は深刻な問題でした。外国人だから狙われるのかなと思っていたら、ロシア人も同じ目に遭っていて、彼らもものすごく警察官を嫌っていましたから。警察官が悪行に走るようになったのも、やはりソ連崩壊の影響なんです。給料がほとんど出なくなったので自分で稼ぎ出すようになったわけです。

こうした状況もプーチンの時代を通じて改善されたのかどうか。少しはマシになったのかもしれません。だからある世代以上には、プーチンのおかげでロシアはよくなったという実感が根強いのだと思います。

望月 難民ということで言えば、日本政府は今、ウクライナの避難民を受け入れています。でも、これまでアフガニスタンやミャンマー、シリアなどから逃げてきた人たちに対して、難民認定をほとんど出さないなど、ずっと冷たい対応をしてきました。なので、支援活動をしてきた弁護士さんとかは納得できないものを感じていると思います。メディアの報道の違いもあるのでしょうが、同じ避難民なのにどうしてなのか。白人至上主義的なものを疑ってしまいますね。

ロシアに経済制裁は通じない

白井　私が初めてロシアを訪れたのは1996年、大学1年生の頃です。観光旅行でしたが、国家が潰れるというのがどれだけきついことなのか、すごく実感しました。たとえば、ルーブルの一番の高額紙幣が10万ルーブル札だったのですが、数字はでかいけれど5000円くらいの価値しかなかった。そのあとデノミネーションが行われましたが、経済破綻(はたん)の爪痕がまだ色濃く残っていましたね。

ロシアでは、地下鉄の駅を上がったところがたいてい広場のようになっていて、そこに露店みたいなものが出ていて、食べ物屋、花屋、八百屋だったりするのですが、中には、何かよくわからない家から持って来たであろうものを売っているおばあさんとかがたくさんいた。年金が事実上破綻してしまったので、自分で何とかするしかなかったんですよ。とはいえ、ガラクタなので誰も買わない。

また、留学して驚いたのはタクシーです。観光旅行の時は全部手配済みで拾う必要がなかったので気づかなかったのですが、モスクワに留学して、いざ街中で拾おうとしたらタクシーが全く走っていない。首都なのに何なんだと思いましたよ。でも、だんだんわかってきたのは、実は走っている車はすべて潜在的にタクシーだったということ。要するに、大混乱の時代に失業した人たちがみんな白タクを始めたわけです。だから、道端で手を挙げているとすぐに止まる車が現れる。運転手に行き先を告げて価格の交渉をして折り合えば、じゃあ行こうとなるんですね。

望月 あっ、プーチンがタクシーの運転手をしていたというのも、その白タクですか。

白井 たぶんそうでしょう。白タク行為はソ連崩壊以来、ロシアの人たちのある種生活習慣になっています。車を走らせている人は、たいていあわよくば客を拾って小遣い稼ぎをしようと思っている。旅行ガイド本などには「白タクは絶対使わないこと。犯罪が報告されていて危険です」などと書かれています。けれども、長期滞在者は必ず白タクを使うようになるんですね。一応タクシー会社もあって、探したらないことはないらしい。でも圧倒的に割高なので、頼む人はいません。正規のタクシーは何も知らない外国人しか乗らない。長期滞在者はそういう事情がわかってくるからロシア人と同じように白タクを使うわけです。

Ｕｂｅｒのライドシェアサービスが革新的と称賛されているじゃないですか。まあ要するに、これは白タクです。日本では禁止されていて、ネオリベな人たちは「解禁しろ」と言っているけれども「冗談じゃない」と思いますね。Ｕｂｅｒの本質は何なのか。デリバリーサービスもそうですが、要するに、もう全員を食わせることはできないから何とか自力でしのいでくれという話でしょう。ある意味、国家の破綻を前提にした「棄民ビジネス」なんですよ。みんなをソ連崩壊後のロシア人にするつもりかと、本当に腹が立ちますね。

また、留学中に友だちができて「ダーチャに行こう」と誘われたことがあります。ダーチャは別荘と訳されますが、モスクワやペテルブルクなどの大都市に住むロシア人の多くが郊外にセカンドハウスを持っています。金持ちは豪華なダーチャを持っていますが、一般庶民は別荘というよりは小屋です。だから基本的には夏しか使えない。断熱性ゼロだから、冬はもう寒くてどうしようもないんですよ。

実はダーチャはロシアの戦争を考えるうえで非常に重要なファクターです。よくあるダーチャの説明によれば、ロシア人は都市生活者になっても農民としてのアイデンティティを忘れない。だから週末になるとダーチャに行って農作業をする、などというほんわかしたものです。でも、それは違うんですね。本当は第二次世界大戦に歴史的起源があります。スターリンが「ドイツ軍が入ってきて食糧事情が崩壊するから自給自足できるようにしろ」と命令したんですね。

望月 なるほど。それで都市部の人たちが郊外に小屋を建てて畑を耕すようになった……。

白井 はい、ダーチャの農業で第二次大戦を凌(しの)いだわけですが、さらには、ソ連崩壊の時にこんなに餓死者が出なかったのはダーチャのおかげです。今回の戦争でロシアはいろんな経済制裁を食らっていますよね。だからダーチャによる食料供給力がどれぐらい効くのか、再び試されるかもしれない。ただ一説には、ソ連が崩壊して30年経ってダーチャで農作業をするという文化的行動様式が失われてきているとも言われています。

望月　今のところ、経済制裁で苦しんでいるのは、ロシアよりもそれを課している欧米諸国、日本などのほうに見えます。白タクにしろダーチャにしろ、ロシア社会のいわばしぶとさを見くびらないほうがいいし、西側は自分たちの経済力の弱さをもっと自覚したほうがいいですね。

白井　その通りだと思います。一時のルーブル下落も止まっていますし。我慢比べとなったとき、ロシアは強いでしょう。

大儲けするアメリカ、バイデンの謎

望月　今回、アメリカは早い段階でロシアの侵攻の可能性が高いと警告していましたね。

白井　結果的に見て、アメリカの軍事諜報はかなり正確でした。ただ、そうであるがゆえに「アメリカは戦争を止めなかった」という言い方もしたくなりますよね。なので、バイデン大統領って何者なんだろうと思いますよ。プーチンよりも謎という感じがします。

望月　親ロシア政権を打倒した2014年のマイダン革命を描いたドキュメンタリー映画『ウインター・オン・ファイヤー　ウクライナ、自由への闘い』（15年公開）を見ると、非常に激しい民主化運動だったことがよくわかります。

ロシアの立場になれば、それ以前からポーランドやバルト三国などがＮＡＴＯに加盟してミサイルも配備されるというＮＡＴＯの東方拡大によって追い込まれていました。なのでロシアは、ウクライナのＮＡＴＯ加盟は絶対に阻止したいと親ロ政権を猛烈に後押ししていた。でもマイダン革命が起きて、親欧米政権が誕生してしまった。それに反発して即座にクリミア併合、東部ドンバス地方の武装蜂起の支援を立て続けに行ったわけです。

しかし、ゼレンスキー大統領という政治家というよりもむしろパフォーマー、ある種のカリスマが登場してＮＡＴＯに加盟したいと言い出した。

ゼレンスキーは政治経験が全然ない人です。ウクライナの大富豪イーホル・コロモイスキーが所有するリベラルなテレビ局を中心にプロデューサーや俳優として活躍し、マイダン革命後、主人公の大統領を演じたドラマ「国民の僕（しもべ）」で超人気者になった。いろんなソフトパワーを使って民主的なことをしたいということで大統領選に立候補したようですが、それがロシアの侵攻を誘発したとも言えるかもしれません。プーチンにしたらむかついてしょうがない。そこで「特別軍事作戦」に踏み切ったという形ですよね。

白井　ロシアがＮＡＴＯの東方拡大を食い止めるというのは、その手法の是非はともかくとして、一応合理的な政治目標です。それを追求するのは理解できる。プーチンはずっと欧米に対して、いつか徹底的に押し返してやろうと攻勢に出る機会を常にうかがっていた。マイダン革命直後のクリミア併合もその一つです。かつクリミア併合の直後に起きたドンバス紛争もずいぶん長く続いています。それも決着させなければならない。つまり、ウクライナをNATOに入れないこととドンバス紛争の決着、プーチンはこの二つの目標を一挙に達成できる千載一遇のチャンスと見て、今回の侵攻を決行したのでしょう。

プーチンが千載一遇のチャンスと確信したのは、早々にバイデンが「米軍は出さない」と言ったからではないのか。バイデンのもとにロシア軍の動きに関する正しい情報は来ていたわけじゃないですか。情報が誤っていて判断を間違えたのであれば理解できます。けれども、ロシア軍が侵攻しそうであるのを知っていて軍事介入しないと宣言した。つまり、バイデンはプーチンの決断をわざわざ後押ししたということになります。そこが理解できない謎です。

バイデンは、ロシアが戦争に踏み切るのを期待していたのではないかとすら思いたくなります。プーチンの政治的な目標は明確で、NATOの東方拡大をやめてくれということです。だから兵隊を国境に集めて緊張を高めて、それを要求した。でもバイデンは妥協的なことを全く言わず、まさにプーチンの要求をはね付け続けたわけです。

侵攻後もいわばゼロ回答です。それでウクライナに携帯型地対空ミサイル「スティンガー」、対戦車ミサイル「ジャベリン」、自爆型ドローン「スイッチブレード」なんかをどんどん供与している。結局、アメリカの兵器産業が潤っていますよね。

望月　ジャベリンは1発2000万円と言われています。アメリカのウクライナへの軍事・経済・人道支援の予算は22年4月28日の時点で、のべ47億ドル（約6000億円）です。イギリスも軽対戦車ミサイル「Nlaws」や近距離防空ミサイル「スターストリーク」、ドイツも地対空ミサイル「ストレラ」や自走式対空砲「ゲパルト」といった具合に、盛んに西側諸国が兵器供与を行っています。

白井　ポーランドがウクライナにソ連製のT72型戦車を供与して、その穴埋めにイギリスがポーランドに新しい戦車を送るという玉突き現象も起きていますね。4月末の時点では戦争の拡大につながる戦闘機の供与には消極的ですが、さらに東欧諸国からソ連製のMiG-29がウクライナに供与されて、同じように玉突き現象になる可能性はあるでしょう。ますます兵器産業が儲かりますね。

望月　アメリカは超巨大軍産複合体国家です。ニューヨークにいる記者によれば、ロッキード・マーティン社とかのロビー活動がすごくて、議員たちに「軍事介入に踏み切るべきだ」と強く迫っていると聞きました。

実際、22年3月上旬にロッキード・マーティン社の株価は20%くらい上がり、過去最高を更新しています。ジャベリンはロッキード・マーティン社とレイセオン社の合弁会社が製造しています。現在、欧州含めて注文殺到で景気がいいと聞きます。ちなみにレイセオン社は倒産しかけていたのに、91年の湾岸戦争時にイラクのスカッドミサイルを打ち落とす「パトリオットミサイル」で一気に業績を回復したと言われています。アメリカでは、ウクライナとロシアで世界の3割を占めていたとされる穀物が、ロシアとウクライナから入らなくなったため、穀物の価格も高くなったようです。一方、農業は肥料が高騰して、石油高もあり、低所得者の生活を追い込んでいると聞きます。シェールガスも石油の影響で値上がりしている。

白井　原油や天然ガスもしかりですね。こうしたバイデンの謎やアメリカの利益といういわば客観的事実を指摘するだけで、「お前は親露派か」などと言われてしまいます。情報空間、言論空間もアメリカが制圧しているわけです。

やはり今回の戦争でもアメリカは恐いと感じますよね。そう考えると、この戦争がどう終わるかにもよりますが、アメリカに制圧されている国際社会の中でロシアがどうやって立ち直っていくのか、正直、見通しが立ちませんよね。

世界の「世論」はどう動くか

望月　ニューヨークにいる記者に聞くと、アフガニスタンからの撤退を見ればわかるように、アメリカ国内では厭戦(えんせん)気分が相当広がっています。「参戦すべきだ」と言っているのは一部の共和党支持者、保守層に限られていて、全体としては6割以上が「参戦すべきではない」と言っている。兵器供与がよくて参戦はダメというのは、どこか卑怯な感じもするのですが。

白井 「9・11」で対テロ戦争を始めてからこの20年、アメリカは下手な戦争をやり過ぎた。いくら米軍が強いと言っても抜けない刀になってしまったということだと思います。基本的に先進国が戦争できないと言われるのは、要するに人命の価値が高くなったということですよね。

結局、この20年のアメリカの戦争の失敗が示したのは、本当の意味で戦争に勝つためには火力で圧倒的に優勢な側も犠牲を覚悟しないとやはり無理だということでしょう。いくらハイテク戦争で、ドローンを飛ばして大量のミサイルでピンポイント攻撃をしても、最終的には地上部隊を大量に送り込まないといけない。つまり、その過程で勝っているほうも必ず多大な人的損失が出ます。アフガニスタンなんか完全にそうですよね。

アメリカはたくさんの戦死者が出るということに社会が耐えられない。したがって政権も耐えられないので戦争できないわけです。アメリカではそれほど人命が重い。逆に言うと、ロシアが戦争できるのは、圧倒的に人命が軽いからでしょうね。

望月 ウクライナ軍の発表では22年5月末時点でロシア軍の死者数は約2万9050人です。それでも問題にならないと……。

白井 やはり、問題となってくると思います。まずは犠牲者の規模の実情について隠すでしょうが、いくら情報統制しても大量に兵士が帰って来ないとなると隠し切れません。そうなればロシア国内の世論も相当大変なことになってくると思います。

望月　侵攻直後、ウクライナの国連大使が、死亡した若いロシア兵と母親との携帯電話での会話というのを国連の会議で紹介しましたよね。軍事演習だと思っていたら本当の戦場で、それでもウクライナの人を助ける作戦だと思っていたら、歓迎どころか激しく抵抗されて、ファシストと罵倒されているといった内容でした。他にも1日1食だとか脱走兵が300人出たとか、そういうニュースが次々に出てきたじゃないですか。ロシア政府はそういう兵士の悲惨な状況を今はフェイクと言ってごまかしているようですが、やがてごまかし切れなくなると思います。そうなったら、なぜこんな無茶な戦争に踏み切ったのかという批判も出てくるでしょうね。

一方で、ウクライナの人たちの中にもすごく冷静な見方をしている人もいます。首都キーウ（キエフ）在住のIT系の技術者の話なのですが、ロシア軍が首都キーウを撤退する前から、キーウは徹底抗戦を続けるので早晩あきらめて東部に集中するだろうと予想していたし、今もなかなか停戦にならないだろうと見ています。なので自分は、戦後にこの国をどう立て直すかを考えていると。

ただ、キーウ近郊の人たちが大勢虐殺されていたことも明らかになりました。そういう惨劇に対しても冷静でいられるかどうか。あるいは生物・化学兵器や核兵器の使用も懸念されている。ウクライナの人たちの対応も今後は一枚岩とはいかないと思います。

「ナショナル・アイデンティティ」を使い尽くす戦争

白井　プーチンは、第二次世界大戦の対ドイツ戦の戦勝記念日の5月9日に勝利宣言をしたいのではないかと言われていましたよね。反ファシズム戦争が第二次世界大戦のいわば大義でしたが、ナチス・ドイツを倒すということに関して言えば、連合国の中でソ連が最大の犠牲を出し、軍人、民間人合わせて2700万人が死んだ。日本は死者数300万人ですから桁が違いますね。

1960年代半ば頃からソ連社会が閉塞感を強めるなかで、5月9日の重みは当時の指導者ブレジネフの組織的なキャンペーンによって増しました。それはスターリンの復権とも関係しています。スターリンは後継のフルシチョフによって否定されました。そのフルシチョフに代わってブレジネフが指導者になる頃には、共産主義体制の行き詰まりがはっきりしてきてしまった。平和を得て過去に比べれば相対的には豊かになったなかで、ソ連が本来志向していた世界革命はまったく現実的でなくなった。そんなのは考えられない、ずっとこのまったりした退屈な日々が続くだろうというのがソ連社会の空気でした。言ってみれば、共産主義体制の根本的な正当性が何だかよくわからなくなってきたわけです。

このように共産主義社会の未来展望が失われたため、ブレジネフは過去に回帰します。それが第二次世界大戦の勝利の歴史でした。ブレジネフはこれこそがいわばナショナル・アイデンティティ（国民意識）の根幹だと考えた。戦勝へ導いた大元帥はスターリンだから、スターリン批判は消えて、スターリンが復権する。

実は、今のプーチン体制はいろんな点でブレジネフ体制に似ているとも言われています。どういうことか。確かに混乱を収めてプーチンはいわば国の復活、一定程度の成長をもたらしたと言える。けれども産業が全く育っていません。石油とかガスとか金とか、掘れば出てくるものでしか稼いでいないわけです。ブレジネフ期の停滞した安定を支えたのも、オイル・ショック以後の原油高でした。もちろん、掘り出すためには採掘技術が必要で、それほど単純な話ではない。でも自前の技術では不十分だからこそ、たとえばサハリンの油田やガス田にも、欧米やら日本やらの資本が入っている。結局、ロシアには技術も、そして金も足りないわけです。

つまり、プーチンがロシアを立て直したと言うけれども、本当の意味ではぜんぜん立て直せていない。要は今のロシアには未来、展望がない。だからブレジネフと同じように過去の栄光、対ドイツ戦の勝利に回帰するしかないわけです。ロシアでは１８１２年のナポレオン戦争のことを祖国戦争、ナチス・ドイツとの戦争を大祖国戦争と呼んでいます。やはり２７００万人が死んだことの重みはいまだにロシア社会にとってすごい重みなのですよ。

望月　プーチンはゼレンスキーを「ネオナチ」（ナチスによるユダヤ人虐殺や侵略戦争を正当化する勢力）と批判していますね。

白井　ロシアが掲げるウクライナ侵攻の大義は、ネオナチ勢力に牛耳られている弟分ウクライナを救うというものです。弟のところには悪のアメリカが忍び寄ってきていて、ファシストどもを裏で操りながらウクライナを乗っ取っている。そういうかわいそうな状態にある弟国を解放しなければならない。それが大義です。ウクライナに極右やネオナチがいるのは確かでしょう。しかしそれが国を完全に乗っ取っているという話はかなり神話的なストーリーなので、プーチン自身がそれをどれくらい信じているのか信じていないのか、よくわからないのですが。いずれにしろ、大祖国戦争と同じようにファシストからウクライナを解放したと5月9日にアピールしたかったわけですよね。

こうしたロシアの戦後は、日本の戦後と似ている部分があると思います。ソ連崩壊とかもあったけれども、いまだに全国民が共有できる物語がある。それは大祖国戦争、対ナチス・ドイツ戦の勝利。それがいわばナショナル・アイデンティティになっています。言ってみれば、プーチンは今、その遺産に賭けようとしているわけです。

戦後日本の全国民が共有できる物語は何でしょうか。それはロシアと同じくやはりあの戦争なのでしょう。日本の戦後社会はあの戦争にいわば根拠を置いてきたわけです。そういう意味では、結構ロシアと日本は似ているところがある。ただ、ロシアはすさまじい犠牲を出しながら勝ち、日本は負けたのだからその点は対照的です。しかし、日本の場合、戦争に負けて焼け野原になったところから、急速な回復を果たして経済大国となった、つまり最終的には勝利したというところまでがセットだと思うのです。2011年の東日本大震災以降、1964年の東京五輪と70年の大阪万博の記憶にすがってきた今日の日本の姿が、ロシアにダブります。未来がないから、過去の遺産を呼び出すしかないのです。

今回の戦争でロシアは、その勝利の遺産を使い尽くしてしまうのではないか。日本もいつか敗戦から経済的勝利という記憶の遺産を使い尽くすことになるのかならないのか。どんな形で使い尽くすのか。そんなことも今回の戦争を見ながら考えさせられます。

世界から一目置かれる地位へ

望月　プーチンは2020年6月に「核抑止力の国家政策指針」に署名しています。国家の存続が脅かされた時には核兵器を使えるというふうにした。その時点で、もうウクライナのネオナチをやっつけるという構想があったのではないでしょうか。今回の「特別軍事作戦」は彼の中では遅きに失したという感じかもしれません。

白井　やはりプーチンのターゲットはアメリカです。アメリカが東ヨーロッパでも好きなように仕切るのは絶対許さんと。ロシアから見ると、1990年代は混乱の時代であり、社会状況、経済、外交、安全保障といろんな次元で屈辱の時代なんですよね。

その時代のロシアの経済改革、ショック療法と言われた急激な経済の自由化は大混乱を招きました。その責任者の一人が、今回、プーチンの側近と目されながら早々と国外逃亡したアナトリー・チュバイスです。エリツィン時代から権力中枢にいた人物で、日本で言えば竹中平蔵のような存在に見えます。彼こそが諸悪の根源と酷評するロシアの専門家もいて、その逃げ足の早さを見て、さすが大悪党と言っていました。ただ、チュバイスらが主導した改革も国際金融資本からの圧力の結果だったという側面があります。

他方、外交でもぼろっかすになったわけです。たとえば、バルト三国のNATO加盟。ソ連・ロシアの軍隊が駐留していたけれども、バルト三国は独立と同時にNATOに入りたいからロシア軍は失せろと言い出す。ロシアは退きたくなかったけれども、結局は退かされて、バルト三国は2004年にNATOに加盟します。これもやはりアメリカの圧力です。また、1998年のコソボ紛争でもセルビアに肩入れするロシアの意志は一顧だにされなかった。本当に屈辱に次ぐ屈辱ですよ。

望月 ロシアにしたらソ連が崩壊してからも、常にアメリカを意識していた。

白井 安全保障体制の大本の構造について言えば、ワルシャワ条約機構は解体したのにNAT

Oはなぜか存在し続けている。東西ドイツ統一からソ連崩壊に至る時にNATOは一切東へは進まないという約束が、評価が分かれるところとはいえ、確かにあったわけです。アメリカの政府高官のそういう発言がドキュメントとしても残っています。ロシアから見ると裏切られた、騙されたとなります。それで、こういう目に遭うのも我々が弱いからだ、馬鹿にされるような状態に落ちぶれているからだと考えるようになった。要するにプーチンの望みとは、かつての世界から一目置かれる地位を取り戻すということなんですね。

望月　でも今は、地位を取り戻すどころか、国連の人権理事会から追放されるなど国際的地位を失いかけているでしょう。非常に悪い意味で一目置かれてはいますが。

ロシアが国連の安全保障理事会から外されるということも考えられますが、それには国連憲章の改正が必要で、そのためには常任理事国（アメリカ、イギリス、フランス、中国、ロシア）がみんな賛成しないといけない。ロシア自身が常任理事国である以上、あり得ないですよね。

白井　常任理事国を入れ替えるというのはそもそも想定されていない事柄なので、いったん国連を解散してロシア抜きで国連を作り直すくらいしか考えつかない。

望月　なにせ中国がロシア支持ですからね。中国はロシアを支援するサイバー攻撃も盛んに行っていると言われています。

白井　ウクライナと中国は2013年に「友好協力条約」を結んでいます。これはある種の安全保障条約です。何かあったら一肌脱ぐとウクライナに言っておきながら、ロシアのウクライナ侵攻を支援したことになる。このサイバー攻撃の話が真実ならば、長期的に見ると、中国という国に対する国際的な信頼、特に途上国においては深刻に揺らいでくるのではないでしょうか。ただし、非常に奇妙なことには、この中国によるサイバー攻撃の話は、3月末から4月初めに報道された後、ピタリと何にも情報が出なくなった。不思議です。この話の出所はイギリスだったようですが、これ自体情報戦なのかもしれない。

望月　ロシアとの関係によって国際社会から中国がどう見られるか。中国にとっては相当悩ましいと思います。22年3月に中国の有名な国際政治学者がネットに「中国は今こそロシアとの関係を断ち切るべきだ」という長い論文を発表しましたよね。すぐに削除されましたが、中国のインテリの中にはそういう意見があるわけです。

今回のことで、日本では中国による台湾への軍事侵攻を懸念する声が高まっています。でも中国は、国際社会の中でロシアが置かれている状況を見るにつけ、自分たちが台湾に対して同じようなやり方をしたら、相当マイナスになると理解できるはずです。たとえば、あからさまな軍事侵攻をすると、特に地上戦の生々しい映像がどんどん出回り、猛烈に非難されるということもわかったでしょう。ジャーナリストの布施祐仁（ゆうじん）さんが著書『日米同盟・最後のリスク』（創元社、2022年）で紹介されていましたが、陸自の東部方面総監や統合幕僚副長を歴任した磯部晃一さんは、中国が台湾への着上陸作戦の第一波に投入できる兵力は、最大で約2万5千人程度だが、一方で待ち構える台湾軍の兵力は、正規軍（陸軍）約20万人、予備兵約165万人とし、「中国軍が数波にわたり、台湾海峡を往復している合間に、台湾軍の反撃を受けて、着上陸部隊は各個に撃破される可能性が高い」と指摘しています。布施さんは、中国のレッドラインは、台湾が独立を表明した場合だが、台湾は現在、蔡英文氏が「私たちはすでに（事実上の）独立国家である」と牽制しながらも「現状維持が今もわれわれの方針だ」とし、現状では、台湾侵攻に踏み切るような状況にはなっていないと指摘しています。

白井　台湾問題を今すぐどうこうというよりも、残骸になりかけているロシアからいかに漁るかということを、中国は今まさに考えているのではないか。ロシアはここで中国に見限られたらもうお終いという状況です。ロシアからかすめ取る一番いい手を考えて、落ちてくるのを待っている。

もう一つは、先ほど言ったように実は勝っているのはアメリカです。なので、今回のアメリカの勝ち方を分析して、それをどうやって打ち破っていくかを考えているはずですよ。

望月　今回のことが台湾侵攻には行きつかない……。

白井　そう思います。それと日本にいると、ついロシアは人類の敵になったみたいに思いがちだけれども、経済制裁を課しているのはヨーロッパ諸国と北米、アジアでは日本、韓国、台湾、シンガポールだけ、ほかはオセアニアのオーストラリアとニュージーランドのみ。中南米やアフリカなど、皆無です。要は、制裁しているのはいわゆる先進国だけじゃないですか。対ロ制裁に加わっていない国のほうが圧倒的に多いわけです。

望月 ロシアの「非友好国リスト」で言っても48カ国で、友好国のほうが多いとも言えます。日本にしてもそうですが天然ガスと原油をロシアに依存している国も多いし、日本と違ってアメリカのやり方に反発している国も多い。当たり前ですが、国際社会は一枚岩ではありませんよね。

ロシア軍の弱さの理由

白井 それにしても今回のウクライナ侵攻で驚いたのは、ロシア軍の杜撰(ずさん)さです。

望月 ロシア軍の将官が次々に殺害されましたね。情報が筒抜けになっていたとか、士気が低すぎてしょうがないから自ら前線に出て行ってやられたといった指摘があります。

白井 当初、軍幹部は電撃作戦で48時間で陥落できる、ゼレンスキー政権なんてあっという間に地上から消し去れると想定していたらしい。14年のクリミア併合での軍事的成功にいわば酔っていたと思う。ところが全くうまくいかない。それでプーチンが激怒して将軍たちに「自分で行って見てこい」と命じた。そうしたらスナイパーの餌食になったというちょっと考えられない話ですよ。つまりは、現場の内情がグダグダだったという情報がプーチンには全く入っていなかったということでしょう。

望月　キーウをあきらめて東部に集中するというのは、おそらくプーチンの決断だと思います。ある程度情報が入るようになって、ようやく冷静な判断ができた。プーチンはSNSを一切やらないなど、側近が報告しない限り情報から遮断されてしまうのでしょうね。きちんと情報を出せばいいのにと思うけれども、恐くて悪い話を伝えられない。国防大臣のショイグも一時、消えましたから。

白井　ショイグは昔から完全なイエスマンらしい。プーチンが聞きたいことしか言わない人間ばかりが側近になって権勢をふるい、都合の悪い情報が入らなくなるという独裁体制の典型的な悪弊が見えますが、この傾向はだいぶ前から現れていたようですね。それが今回深刻な悪影響を及ぼしている。

望月　会議テーブルでのプーチンと側近たちとの距離もすごいですもんね。ずっと向こうに座らされている。滅菌室に入ってから面会しなきゃいけないそうですし……。

白井　もう一つの大きな驚きは、ウクライナ軍がこんなに頑張るとは、ということですね。当然のことではありますが、ロシア軍と比べものにならないくらい士気が高い。ただ、いわば意志力だけで具体的な戦闘に勝てるものではありませんよね。ウクライナがどれだけぼろぼろの国だったかということを考えると、やはり驚くべきことでしょう。

1996年に初めてロシアを旅行した時、キーウにも行ったんですよ。当時はロシアもウクライナも自由旅行ができませんでした。出発前に旅程を完全に確定させて、日本にいくつかあるソ連時代から続く専門の旅行会社に申し込むと、その旅程でしか使えないバウチャー（金券）が発行されるんですね。そのバウチャーを持ってロシア大使館に行くとビザがもらえる。手数料を払えば、ビザ発行も旅行会社に頼むことができますが、私は自分でやりました。

それで初めてロシア大使館に行ったわけですが、異常に感じが悪くて驚きました。まず待合室みたいなところに入った瞬間に空気の違いを感じた。用事のある日本人が何人もいたけれども、なぜかみんな絶望的な顔をして座っている。そして窓口のロシア人がすさまじく愛想がなくて杓子定規だったですね。

キーウはとても美しいすごくいい街でした。でも不思議だったのは、人々がどうやって食べているのかよく見えなかったことです。たとえば、三流のホテルに泊まったのですが、フロントのところに客にも従業員にも見えない人たちが昼間からうろうろしていた。何しているんだろうと不思議だったのですが、フロントにバウチャーを使って「車でここに行きたい」と頼んだら、うろうろしていた兄ちゃんの一人がやってきて「俺がドライバーだ」と。何というか、停滞した空気が濃厚に漂っていましたね。

望月　ウクライナの副首相兼デジタル転換大臣がツイッターで、テスラとスペースXの創業者イーロン・マスクに支援を呼びかけたら、大量の通信機器が届けられたといった話を聞いて、ウクライナは結構IT化が進んでいるという印象でした。それも善戦している要因かなと……。

白井　それは確かに事実の一面ですが、国民全体が豊かになっているかというのはかなり別次元の話ではないか。ウクライナの主要産業はやはり今も農業で、まだまだ貧しい国だというのが現状だろうと思います。

ウクライナは旧ソ連の中では一番ヨーロッパに近い地域であり、鉄鋼など最も工業が進んだ地域でした。そしてソ連時代から軍需産業が盛んでもあったわけです。有名なものに航空機メーカーの「アントーノウ」がありますね。しかし、90年代、2000年代の混乱の中で、ロシアの産業が天然資源頼りになってしまったのと同じく、ウクライナもソ連時代の技術的蓄積の潜在力を活かせず、結局、農業頼りになってしまった。

それから、ロシアから西ヨーロッパ諸国にパイプラインで送られる天然ガスの通過料を稼ぐようになりましたが、これは産業とは呼べないでしょう。2004年のオレンジ革命（親ロ政権に大統領選のやり直しを求める抗議運動）の指導者で、首相も務めたユーリヤ・ティモシェンコが「ガスの女王」と呼ばれていましたよね。彼女はガス事業で莫大な富を築いた実業家でもある。ガスがらみの職権乱用で有罪になっていますが、彼女に限らず、政界の腐敗は悲惨な水準にありました。

「乱脈国家」ウクライナの素顔

白井　要するに90年代、2000年代の混乱の中で、ウクライナはすさまじい乱脈国家、マフィア国家としか言いようがない状態になり、すべての政治家に絶望した結果、アウトサイダーだったゼレンスキー氏が大統領に選出されたわけです。

望月　今回、チョルノービリ（チェルノブイリ）原発やヨーロッパ最大規模のザポリージャ原発がロシア軍に掌握されて、相当恐ろしさを感じましたが、ウクライナは原発が盛んなんだと改めて驚きました。

白井　ウクライナは核テクノロジーの国でもあるということですよね。軍需産業の蓄積もあるからミサイル技術も持っている。北朝鮮の核兵器とミサイル開発にはウクライナの技術者が裏で関係しているという話がある。もちろんウクライナ国家は認めていませんが、ソ連が崩壊して待遇が悪化した技術者が技術流出させたという説もあれば、国家が秘密に関与していたという説もあります。

同様に、ロシアからもそうした流出が疑われることもありますね。ただ、どうもその乱脈さにおいて、ウクライナはより一層ひどかったと思われる節がある。

ウクライナで一番有名なサッカーチーム「FCディナモ・キーウ」が90年代末にUEFAチャンピオンズリーグでベスト4と大躍進しました。アンドリー・シェフチェンコというエースストライカーがいて、ACミランに移籍し、イタリアでも得点王になるなど大活躍しました。彼はウクライナの英雄です。そのシェフチェンコのキャリアの原点としても、ディナモ・キーウは全ヨーロッパ的に有名なのですが、ディナモ・○○というチーム名は旧ソ連や東欧諸国にたくさんあります。それらは皆、母体がソ連の秘密警察だったんですね。だからモスクワなど各地にあるのです。ちなみに、本田圭佑選手が所属していたCSKAモスクワというチームは、母体は陸軍だった。Central Sports Club of Armyの頭文字を取ってCSKAですから。

旧ソ連東欧のサッカーチームも体制が崩壊して大混乱しますが、資本主義社会でどうやって生き残ってきたのか。ディナモ・キーウの資金源は核物質の闇マーケットだったという噂があったんですね。ウクライナにはソ連の核兵器が置かれていました。ソ連崩壊の混乱の中で核物質の管理が杜撰になって、マフィアだか政治家だか実業家だかよくわからない人たちが暗躍して、それを国外へ売るというビジネスがあったと言われています。

あるいは、チョルノービリ原発の管理についても、これは多額の資金が必要で、援助のお金が大量にヨーロッパ諸国から入ってきているわけですが、それが汚職の元になったりもしました。事故処理や管理に使われるはずの資金が、どこかに消えてしまう、つまり政治家のポケットに入っていったのです。
オレンジ革命にしろマイダン革命にしろ、こうした社会背景のもとで起きたわけです。独立後のウクライナは混乱に次ぐ混乱で、政治のリーダーと言っても魑魅魍魎(ちみもうりょう)しかいないような状態が10年、20年と続いてきた。

望月　それにしても当初、ウクライナ軍19万人対ロシア軍90万人とか言われていたわりには、欧米の武器などの支援が奏功し、すごく善戦していますよね。

白井　そもそも腐敗国家ですから、軍も腐敗していたようです。だからドンバス紛争でも膠着(こうちゃく)してしまっていたわけです。ところが今回、軍事組織として非常によく機能しているようです。やがて明らかになるでしょうが、アメリカやイギリスなどがオーガナイズの面も含めて、相当支援してきたのではないか。

さらに、ネオナチの台頭と言われるものはドンバス紛争と関係しています。ウクライナ国軍が弱体という状況の中で、アゾフ大隊など民族主義者たちの民兵組織が前線に入ってきた。これがかなり強く、戦況の好転に貢献したそうです。それ以前、マイダン革命でも彼らは活躍していて、一部は「国家親衛隊」という国家の一部門に組み込まれることになった。だから、この面だけ見ると、ロシアの言う、ウクライナはネオナチに牛耳られているという話は、真実の一面をとらえているように見える。しかし、もちろんゼレンスキー大統領がネオナチ・シンパであるわけではない。ですが、彼とてもドンバス紛争があるので極右勢力の発言権を排除できなかったわけです。実際に入閣もしています。

望月　親ロシア派に対する虐殺とか、物的な証拠は全く出ていません。でも、ネオナチグループがいるという人が日本にもいますよね。

白井　私はウクライナ側による残虐行為もあっても不思議はないと思います。別にロシアが盛んに言っているからではなくて、ユーゴスラビア紛争（91〜01年）と同じです。セルビアによるコソボへの残虐行為がもっぱら言われたけれども、逆も起こりました。

望月　なるほど。「極右はいたことはいた。けれども」という言い方のほうが合っているのかもしれない。プーチンの言い分もある程度は認めざるを得ないと……。

白井　結局、プロパガンダも真実ゼロでは機能しませんよね。だから、幾分かの真実は含まれて、それを思い切り膨らませて、流通させる。いずれにせよ、この間にウクライナ軍がどうやって立ち直ったかというのは、大変不思議なことです。やはり14年にクリミア半島があっさり奪われたのがきっかけだったのか。あまりにもやすやすと領土が奪い取られたショック。その反省をもとにアメリカの支援を受けて数年かけて立て直したということなのか。今回の戦争に関してきちんとしたオペレーションがあるのは、きちんとした想定があったということですよね。こんなふうに侵攻してくるだろう、じゃあどうするかと。ただ、開戦前にバイデンが「ロシア軍が侵攻を始める」と騒いでいた時、ゼレンスキーが「煽るのはやめてくれ」などと言っていて、実際危機感を欠いていたのは何だったのか。謎が多いです。

プーチンは決して引き下がらない

白井 プーチンにとって今回の戦争の序盤は間違いなく誤算だらけです。彼は勝ったと言葉の上ではごまかしていったん停戦に合意するかもしれません。けれどもゼレンスキー政権をネオナチ政権だと言ってきた以上、それが存続する限り、事実上ロシアの負けになるわけです。それでプーチンがしおしおと引き下がるとは思えないんですよ。

プーチン政権になる前、90年代半ばにチェチェン紛争が起こりました。第一次チェチェン紛争（94〜96年）です。北コーカサス地方のチェチェンは91年のソ連崩壊前から、ソ連からの独立を宣言していました。ソ連が崩壊していろいろな構成国が離脱したわけですが、チェチェンはロシア連邦からも独立するというので実力行使に出た。同じことを主張する地域が次々に現れたりしたらたまらんというので、当時のエリツィン政権はロシア軍を派遣して武力鎮圧にかかる。しかし、ゲリラ戦に手こずって戦いが長引き、5年独立凍結という停戦協定を結びます。これは事実上ロシアの敗北でした。

その後、99年に第二次チェチェン紛争（大規模紛争は00年、小規模紛争は09年、残党による抵抗は17年まで）が起こる。これで当時首相になったプーチンがチェチェンの首都グロズヌイを徹底的に破壊して00年には主要勢力を屈服させました。今回の戦争でチェチェンの独裁者のカディロフがプーチンの子分として有名になりましたが、彼の父親はチェチェン独立の指導者の一人で、00年にプーチンが暫定政府の大統領に任命した人物です。でも、04年に内部対立で殺された。プーチンはその息子を首長、地域のボスに指名したわけです。だからカディロフはプーチンに対して絶対忠誠を誓っていると言われています。

こういう形で2度目は徹底的に立て直して、チェチェン紛争に勝ったわけですよ。あるいは第二次大戦も最初はヒトラーに散々やられました。しかもその劣勢の大きな理由は、粛清をやり過ぎて赤軍にまともな指導者がいなくなっていたという自滅的な事情だった。でも、そこから立て直して２７００万人の犠牲を出しながらも勝った。それらを考えると、ロシアが負けたまま戦争を終わらせるとはとても思えない。きっと長期化するでしょうね。

望月　結局、プーチン政権が倒れない限り、国際法廷の場とかにも引っ張り込めない。でもロシア国内では、服役中の反体制派指導者のナワリヌイがさらに懲役13年を求刑されるなど、プーチン政権が倒されるというのは、余程のことが起こらないとあり得ないですよね。側近の反乱もプーチンが恐くて誰もできない感じだし……。

現在、公開中のドキュメンタリー映画「ナワリヌイ」を視聴しましたが、作品のすごさとともに、プーチン政権はライバルの命を狙う殺人マシーンが産業規模で存在する恐ろしい組織です。しかし同時に、ナワリヌイのような自分の危険を顧みず独裁に立ち向かう野党のリーダーが出てきていることに、驚きを禁じ得ません。私たち日本のメディアは彼の勇気からもっと学ばなければなりません。

白井　非常に絶望的なことを言うと、仮にプーチンが宮廷クーデター的なものによって打倒されたとしても、それに代わって出てくる人間がプーチンよりもましである保証はどこにもないわけです。

望月　もっとひどいのが出てくるかもしれない。

白井　はい、宮廷クーデターから出てきた人間がリーダーになった場合、おおよそどういう行動をとるか予想がつきやすいかもしれません。他方で、民衆蜂起的なことが起こって、大混乱のうちに現体制が崩れた時に出てくるリーダーは全く未知数になりますよね。人々の不満が爆発して独裁者が倒されるのだから、その民衆を率いる民主主義的なリーダーが出てくるというパラダイムがあるけれども、必ずしもそんなことはない。

望月　確かにいつもそうはなっていない。イラクやアフガニスタンなども混沌としています。

白井　私は今回の戦争に関して楽天的な展望を全く持てません。先ほど言ったように、ロシアは基本的には人の命の価値が軽い国で、「こういう時に死ぬのは普通だ」という感覚が指導層、また国民のあいだでもある程度ある。だから社会の中にいわゆる厭戦気分がなかなか広がらない。

もちろん、それには程度の問題があります。戦死者の数がとんでもないことになって、ごまかせない限界を超えたら、その衝撃は相当大きなものになると思います。日本と同じくロシアは少子化しています。子どもが少なくて一人っ子、また男の子は一人だけという家庭が多い。だから大事な一人息子たちが突然亡くなれば、親たちが大騒ぎしておかしくないわけです。その騒ぎがとてつもなく大きくなれば、戦争の続行が難しくなる可能性もあるでしょう。

望月 「ニューヨーク・タイムズ」によると、ロシア軍では賞味期限が02年の食料も出されています。そんなぼろぼろな状態では、どんなに兵員を送ることができても、現場の士気は上がるはずがないですよ。

白井 軍の内部の腐敗も相当すごいのだろうと思う。物資の横流しなどがあったとしか考えられない。そうしたことにプーチンが激怒して、自ら軍隊改革に乗り出してロシア軍が再建される、それでウクライナに押し寄せて、圧倒するというシナリオが考えられるだろうか。先ほど言ったチェチェン紛争、独ソ戦の再現があるだろうか。私は何とも言えないという気がします。

望月 ロシアの民間軍事会社「ワグネル」がシリアなどで募集した傭兵（ようへい）の外国人部隊も一定数あると言われています。かなり安い賃金で雇っているでしょうし、チェチェン軍の部隊も加わっている。5月18日には、ロシア南部チェチェン共和国の独裁者カディロフ首長が、ウクライナでの軍事作戦に関して「初めに間違いがあった」と述べ、想定通りには進まなかったことを認めました。プーチンに忠実であることで有名なカディロフ首長は、今後の軍事作戦にも大きく影響を与える可能性があり、そう簡単には戦争は、終わらないでしょう。

白井 辛い話ですが、終わらないと思います。停戦合意もなかなか難しいでしょう。交渉の中で中立化までは合意できても、その後の安全保障を具体的にどうするか。ウクライナにしたらこんなにやられて「お前は中立だから丸腰でいろ」というのはとても呑めない。でもだからといってウクライナに他国の軍隊が駐留するといったことになったら、ロシアからしたらウクライナがNATOに入ったのと実質的に同じだということになりかねない。だから、有能な仲介者が入って中立化と領土の問題で両国が何とか妥協できる範囲に話をまとめることができない限り、どちらかがギブアップするまで戦争が長期化するしかないわけです。

メディアが伝える「脅威論」の罪

望月 トルコが停戦交渉の仲介に入っていましたよね。中国がそういう役割を果たさないことに対して国際的には非難されています。先ほど議論したように、どうやってロシアをかばいつつ中国の威信をより高められるかを考えているのか、もしくは、弱ったロシアをいかに中国が支配できて手中におさめるか、でしょうから、いわば最後に中国が一番おいしい役割を演じるのかもしれませんね。

中国に詳しい経済アナリストによると、最近までコロナの抑え込みに成功していたので経済は一人勝ち状態とのことでした。ロシアのウクライナ侵攻に対する対応を含めて、一応、米中摩擦とか言っているけれども、現実的には米中間で部品・製品の輸出入がすごく盛んに行われている。しかもアメリカのほうが中国に輸入をかなり依存しているから、大した貿易摩擦にはなっていないそうです。

ただし中国含め世界各国は今、半導体ビジネスに力を入れています。中国は、半導体の部品などをアジア圏に6割ほど依存していますが、今後は、中国独自で半導体が作れるようにと、国内での半導体製造にものすごく投資しています。それがこれから米中デカップリングなるものになっていくんじゃないかというのがその経済学者の見立てでした。

中国経済は今のところ調子がいいけれども、今後の米中摩擦のほか、中国での賃金もどんどん上がっているので雇用を含めて急激な落ち込みがあるかもしれない。その時にどう出るか、というのは不安な面もありますよね。金子勝・慶應大名誉教授は、近い将来、景気のよい中国もアメリカも、そして都心部ではミニバブルが起きている日本もバブル崩壊は必ず起きていく、と指摘していました。

そんな中国に対して、日本では今回の戦争の影響もあって脅威論が高まっています。たとえば、テレビ報道の伝え方も「今、ウクライナはこうです。一方、南西諸島では中国が……」という感じになっていますよね。最近、テレビ朝日の夕方のニュース番組がやっていた南西諸島で頑張る女性自衛官の特集もそんな感じでした。来るであろう有事に備えて女性自衛官が日々特訓し、夜になると離れて暮らす愛する自衛官の夫とネット電話で会話をしている。防衛のために日々、奮闘する女性自衛官というトーンで……。

核シェアリングなどもそうですが、結局、今は各局がこぞって戦争について放送しています。ニュースの視聴率も一時、すごく上がっていました。安倍さんの核シェア発言もBSフジの夜の討論番組で飛び出したものですが、その翌日にはNHKが朝7時のニュースで早速「昨日、安倍元首相が……」と、報道していました。昔から新聞は戦争報道で儲けてきたじゃないですか。それと同じで、テレビも戦争は視聴率が取れるんですよね。その結果、南西諸島や台湾、朝鮮半島などの有事に対する脅威論を高めてしまっていると思います。

実際、22年3月19日の毎日新聞（と社会調査研究センター）による世論調査では57%の人が「核共有について議論すべき」と答え、男性だけでみると64%に達していました。当時、自民党の安全保障調査会が「非核三原則（持たず、つくらず、持ち込ませず）を堅持しないと安保環境は逆に不安定化する」などと言っているにもかかわらず、世論はそういう方向に行っているわけです。
「ウクライナは核兵器を手放したから侵攻されたんだ」と言う人たちもいますよね。でも、それはソ連崩壊後、アメリカ、イギリス、ロシアが1994年に「ブダペスト覚書」でウクライナの安全保障を約束したから行われたことだし、当時、ウクライナにはその3カ国の要求に抗う術はなかったでしょう。そういう冷静な議論にならないのも、メディアがいわば売らんがために伝えている脅威論の影響なのかもしれません。

白井　現実には、非核三原則の「持ち込ませず」は守られていませんよね。そもそもアメリカの核兵器運用の大方針は、NCND（neither confirm nor deny）、「肯定も否定もしない」であって、日本に核兵器があるとも言わないし、ないとも言いません。その意味で「持ち込ませず」が守られている保証はないわけです。いずれにせよ、核シェアリングなるものが実現したとして、日本の首相が発射ボタンを共有できるわけではない。つまり、日本の核シェアは「アメリカがこれまでは公然と持ち込むことができなかった核兵器を公然と持ち込めるようにしましょう」という程度の話でしかない。結局、何も変わらないんですよ。ただし、核シェアの話が出てくると、平和国家という表看板と、世界最強の軍事大国、核大国の同盟国という戦後日本そのものの矛盾といよいよ直面せざるを得ない状況をもたらしてくるでしょう。

平和ボケの「垂れ流し」はやめよ！

望月　ロシアが核兵器を使うのではないかと懸念される中で、安倍さんは「核シェアリングも議論すべきだ」と言い出しました。核兵器を持っていないNATO加盟国とアメリカが採っている核兵器を共有して運用する政策を日本も真似したらいいというわけです。

安倍さんの核シェア論は、おそらく安倍政権の内閣官房副長官補兼国家安全保障局次長だった外務省出身の兼原信克（かねはらのぶかつ）・同志社大学教授とかがいろいろ入れ知恵をしていると言われています。

核シェアリングのもと、核兵器がドイツやイタリアなどに配備されていますが、その使用にはアメリカの同意が不可欠です。つまり、ヨーロッパとロシアが戦争状態になった時、アメリカがヨーロッパのためにその発射ボタンを押すことに同意するかどうかが最大のポイントとなります。同意したらそれこそアメリカにも核ミサイルが飛んでくるでしょう。なので、そんなことにアメリカが同意するはずがない、どうせ絵に描いた餅だ、核シェアリングには意味がないという専門家が少なくない。実際、フランスは核シェアには参加していません。そんな話をなぜわざわざ持ち出すのか、非常に違和感を持ちます。

また、自民党安保調査会が「防衛費をGDP2％に」などと言い出しました。こんなに物価高で貧しくなっている時に今の2倍の12兆円ぐらいになったら、国民の生活はどうなっていくんだと心配になります。本気なのか。そもそも金を増やせば平和を守れるのか。極端な言い方になりますが、ウクライナは一時期、停戦協定の際、非武装、中立化と言っていました。日本国憲法9条と同じような原則を立てて、我々はどちらの側にも与しない、戦わないと宣言することで戦争を防げた可能性があったかもしれません。

一方で、先ほどの毎日新聞等の世論調査では、87％の人が「日本の安全保障について不安だ」と答えています。今回の戦争のニュースを見て、多くの人が他国からの侵攻は普通に起きてしまうことと感じ、恐怖心が広がっているのではないでしょうか。そんな今だからこそ、自民党も平気で防衛費の大幅な引き上げを言い出せる。恐怖心に火をつけることほど、世論を動かしやすい道具はないと、改めて感じますね。

白井　私自身、今回の戦争によってリアルに戦争の時代に入ってきたと捉えています。それはどんなに戦争に反対しようが、戦争を憎もうが、運命とか宿命であって避けられない。そんな嫌な感じがします。だから本当に恐いと思って、この状況をどうしたらしのぐことができるか。戦争をしないで済めば一番いいし、仮にどうしても戦争をすることになっても、できる限り被害を最小にできるようにと考えるわけですよ。それに対して、核シェアリングとか防衛費をGDPの2％にとか言われても、いかにも浮ついた議論で本当に恐がっているかどうか疑わしい。

そんなことを言い出す人たちは戦争をリアルだと思っていないのではないでしょうか。

望月　安倍さんだけでなく、菅前首相や橋下徹さんなども核シェアリングを議論すべきと言っていました。メディアもそんなモードに入り始めた気がします。でも、核ボタンを押せる権利を持とうとすることでより核の報復を受けるターゲットになる。そのリスクをすっ飛ばして核シェア議論が出てくるのには、やはり違和感を持ちます。平和外交とは真逆の発想です。

白井　こんな厳しい国際情勢になってきて、橋下氏、菅氏が「こう言いました」みたいなことを報道していること自体、やはり平和ボケだと思う。戦争を本当にリアルだと思っていないからそんなお気楽な「垂れ流し」をしていられるのでしょう。

望月　パブロフの犬のような条件反射は、本当にメディアの悪癖ですよね。

白井　先ほど、ロシアではプーチン体制に対する支持率は高齢者で高く、若者では低いと紹介しました。その意味ではまだ未来があると言えます。一方、日本はどうでしょうか。若年層になればなるほど、核シェアリングだ、防衛費2％だとか言い出す自民党を支持しています。日本の未来はロシア以下かもしれませんね。

　戦争が長引くにつれて、ロシア対ウクライナであると同時に、ロシア対NATOの色合いが濃くなってきました。代理戦争の性格ですね。この戦争によって、アメリカがいわば「ウクライナ・モデル」を発見して、それを極東にあてはめるというシナリオが最も恐るべきものです。

つまり、もっぱら自国の利益になるように、自らは兵を出さず、同盟国に敵対国と戦わせるという戦術です。中台問題をめぐって、台湾と日本にウクライナの役回りをさせようということになります。いまの政治状況だと、日本がこのシナリオに巻き込まれていく可能性は極めて高いと私は見ます。日本の世論に現れた安全保障上の危機感のようなものは、そのための地ならしとして機能するでしょう。

あとがき

白井　聡

本書の校正ゲラを読み返しつつあらためて湧きあがってきたのは、「自分は孤独ではない」という感情だった。

この10年の間、日本社会の崩壊は加速度的に進行してきた。政界、財界、労働界は言うまでもない。マスメディア、そして私の属する学術の世界も同断である。なぜここまで劣化が止めどもなく進むのか。それを説明する理屈は色々とあるが、それらの理屈から対処策が直接出てくるとは限らないし、したがってわれわれが何をなすべきかを教えてくれるわけでもない。劣化は、それ自身で進行するわけではない。その担い手、人間が必ずいる。要するに、劣化しているのはさまざまな現場における個人であると考えない限り、われわれは何をなすべきか、指針が得られることはない。社会現象を構造的に把握することを生業（なりわい）とする学者としてこうした物言いをするのは本来あまり好ましくはないのだが、それでもなお、今日の状況に照らせば、劣化に抗する拠点は個人の覚悟にしかない、と言わざるを得ない。

そうしたなかで、率直に言って、私は苛立ってきた。劣化と腐敗を目にしながらそれを指摘しない人々、それに目をふさぐ人々、そしてさらには、奇妙奇天烈(きてれつ)な理屈をこねくり回して「悪いのは野党」「悪いのはリベラル」等々のプロパガンダを垂れ流す、おそらくは毒饅頭でお腹が一杯になった連中を少なからず見てきたからだ。貧すれば鈍するなのか、鈍しているから貧なのかわからないが、ともかく「鈍」な者共の放つ腐臭はもはや耐え難い段階に達している。それは亡国の時勢にふさわしい情景ではある。

そうしたなかで、決して屈しない、決してぶれない、「ダメなものはダメだ」とはっきり言う、そうした覚悟の決まった個人は、少数派ではあってもそこ此処(ここ)にいる。望月衣塑子氏はまさにそのような人物だと以前から思っていたが、今回、本書をつくるために何度も対話する機会を得て、その確信は深まった。記者といっても「サラリーマンだから」「報道機関も営利企業だから」云々といった言い訳は聞き飽きた。そうした言い訳とは無縁の人間が現にいるのだ。本書のための対談の過程でこのことを確認する機会を得たことは、大きな喜びであった。

それゆえに、望月氏との対話では私も相当に深いレベルでの本音を話すことができたと思う。その点が読者の琴線に触れることを願っている。

そして、本書の校了を目前にして、安倍晋三元首相が殺害されるという驚愕の事件が発生した。この10年近く安倍氏を批判してきた私からすれば、安倍氏の生命がこうしたかたちで突然断たれたことについては複雑な思いが去来する。

犯人の動機が現在報じられているとおりのものであるならば、本件は典型的な政治的テロリズムではないが、純粋に個人的な動機に基づいた犯行でもない、ということになる。なぜなら、日本の保守政界（とりわけ自民党清和会）と統一教会との関係は、きわめて濃厚なものであってきたからだ。

この問題を短い字数で解説することは到底できないが、間違いなく言えるのは、この関係は私が「戦後の国体」とか「永続敗戦レジーム」などと呼んできた戦後日本の統治構造の基底に横たわるものである、ということだ。ゆえに、安倍氏の殺害事件をきっかけとして日本の保守政界とこの反社会的カルト宗教団体との癒着の問題が解明されることは、この腐敗した統治構造を解明することでもある。ゆえにこそ、現在有象無象の言論人が、今回の犯罪を「宗教団体と政治家の関係を誤解した、個人的な見当違いの思い込みによるもの」と解釈するプロパガンダを広めようと躍起になっている。背景の適切な解明がなされるか、それともこのプロパガンダが通用してしまうのか、どちらに転ぶのかが、「国家の解体」がここで止まるのかそれともさらなる解体が進むのかの分かれ道になるといっても過言ではない。

最後に付け加えて言うと、安倍氏の死に対する反応を見ていると故人に対する同情を禁じ得ない。右派論客の幾人かがすでに始めているが、これから「安倍氏の悲願、遺志となった憲法改正をいまこそ進めよ」とのキャンペーンが強化されるであろう。その光景を想像すると、安倍氏は徹底的に「神輿(みこし)」として扱われたのだなと感じざるを得ない。

「保守派のプリンス」として北朝鮮拉致問題への強硬姿勢で名を上げた安倍氏は、まずは一度目の首相登板を果たした。その人気は、戦後日本の「敗戦の否認」の欲望の体現者として彼が現れたことに根差していた。その後、失意のなかで政権を去り、自民党そのものが政権を失った後に自民党総裁へと返り咲き、民主党政権が失望されたなかで、アベノミクスを引っ提げて首相の座を奪還した。金融緩和を大規模に行いさえすれば日本経済は復活するというテーゼを前提としたこの経済政策は、「日本スゴイ」と思い込みたい日本人の欲望を反映したものであった。東京五輪の招致も然り。

つまりは、安倍晋三氏は「戦後の国体」の崩壊期たるこの約30年間の多数派日本人の欲望に対して忠実に振る舞ってきたのであり、だからこそ超長期政権を実現したのであった。安倍氏の著作や言動を追跡しても、確たる首尾一貫した理念や思想の存在を感じ取ることはできないのであって、そのことと反比例した安倍氏の政治的成功は、畢竟(ひっきょう)彼が「戦後の国体」の崩壊期にあって精神的混迷を深めている現代日本人の欲望の「神輿」であったことを物語っている。

そして、安倍氏の死亡が公式発表される前に我がちに「安倍氏死去」を発信した彼の「友人」たちの姿からは、安倍氏の人間としての孤独が鮮明に浮かび上がった。今後は改憲キャンペーンのさらなる強化のなかで、安倍氏の死はさらに利用されるだろう。このようなかたちで亡くなってもなお「神輿」として利用されるとは、何という運命だろうか。そのことを思うとき、私は一種の同情のような感情を亡くなった安倍氏に対して懐くのである。

2022年7月　京都・衣笠にて

白井　聡 しらい・さとし（写真左）

1977年、東京都生まれ。思想史家、政治学者、京都精華大学教員。早稲田大学政治経済学部政治学科卒業。一橋大学大学院社会学研究科総合社会科学専攻博士後期課程単位修得退学。博士（社会学）。3.11を基点に日本現代史を論じた『永続敗戦論――戦後日本の核心』（太田出版）により、第4回いける本大賞、第35回石橋湛山賞、第12回角川財団学芸賞などを受賞。その他の著書に『未完のレーニン――〈力〉の思想を読む』（講談社学術文庫）、『国体論――菊と星条旗』（集英社新書）、『武器としての「資本論」』（東洋経済新報社）、『長期腐敗体制』（角川新書）などがある。

望月衣塑子 もちづき・いそこ（写真右）

1975年、東京都生まれ。東京新聞社会部記者。慶應義塾大学法学部卒業後、東京・中日新聞に入社。千葉、神奈川、埼玉の各県警、東京地検特捜部などを担当し、事件を中心に取材する。経済部などを経て社会部遊軍記者。2017年6月から菅官房長官（当時）の会見に出席。質問を重ねる姿が注目される。そのときのことを記した著書『新聞記者』（角川新書）は映画の原案となり、日本アカデミー賞の主要3部門を受賞した。著書に『武器輸出と日本企業』『報道現場』『同調圧力（共著）』（以上、角川新書）、『自壊するメディア（共著）』（講談社+α新書）などがある。

朝日新書
878

日本解体論

2022年8月30日第1刷発行

著　者　白井　聡
　　　　望月衣塑子

発行者　三宮博信

カバーデザイン　アンスガー・フォルマー　田嶋佳子

印刷所　凸版印刷株式会社

発行所　朝日新聞出版
〒104-8011　東京都中央区築地5-3-2
電話　03-5541-8832（編集）
　　　03-5540-7793（販売）

Published in Japan by Asahi Shimbun Publications Inc.
ISBN 978-4-02-295187-8
定価はカバーに表示してあります。

落丁・乱丁の場合は弊社業務部（電話03-5540-7800）へご連絡ください。
送料弊社負担にてお取り替えいたします。